petite collection masp

Karl MARX, Friedrich ENGELS, *Le syndicalisme*. Traduction et notes de Roger Dangeville.

I. Théorie, organisation, activité.
II. Contenu et portée des revendications syndicales. *Index des idées.*

•

Karl MARX, Friedrich ENGELS, *Le parti de classe*. Traduction et notes de Roger Dangeville.

I. Théorie, activité.
II. Activité et organisation.
III. Questions d'organisation.
IV. Activités de classe. *Index des noms cités dans les quatre volumes. Index analytique.*

•

Karl MARX, Friedrich ENGELS, *Le mouvement ouvrier français*. Traduction et notes de Roger Dangeville.

I. Tactique dans la révolution permanente.
II. Pour le parti de classe. *Index analytique.*

•

Karl MARX, Friedrich ENGELS, *Les utopistes*. Traduction et notes de Roger Dangeville. *Index des idées.*

Karl Marx, Friedrich Engels

Utopisme et communauté
de l'avenir

*Introduction, traduction
et notes de
Roger Dangeville*

FRANÇOIS MASPERO
1, place Paul-Painlevé
PARIS-V^e
1976

Préface

L'avenir dans le présent

Dans l'actuel capitalisme qui se survit à lui-même, les choses les plus naturelles deviennent désespérément inextricables — tel le rapport entre jeunes et vieux. Lors de la crise de 1968 [1] — cette répétition générale de la crise actuelle — éclata ce que l'on appelle le conflit des générations, qui n'est pas plus un substitut qu'une forme nouvelle de la lutte de classes, mais le signe manifeste de la sénilité de la société officielle, hors d'état de concevoir et de préparer les conditions de vie matérielle pour les générations futures.

Les jeunes sont mis au chômage massif ; on les place sous tutelle, et on les débilite, en les envoyant, par exemple, dans les écoles jusqu'en plein âge adulte et en les empêchant de participer à la production [2]. Bref, on brise leur vitalité, leur fougue et leurs passions dirigées vers le futur, en en faisant des assistés publics qu'on oblige à aller mendier leur participation à la production et à la vie d'une société monopolisée par le capital devenu gérontocratique, qui bouche toute perspective d'un développement préalablement orga-

---

1. Cf. « La Crise économique et sociale de Mai-Juin 1968 », dans la série *Fil du temps*, n° 3, et l'introduction à la seconde partie (n° 11) du *Fil du temps* consacré au « Marxisme et la Question militaire ».

2. Après avoir publié aux éditions Maspero les écrits de Marx-Engels sur *Le Parti* et *Le Syndicalisme*, ainsi que sur *Le Mouvement ouvrier français*, qui définissent les tâches concrètes, immédiates, de l'action révolutionnaire, nous passons maintenant aux textes sur le *but* du mouvement de classe : *l'instauration de la société communiste*.

Les deux premiers volumes de cette série traitent des rapports de Marx-Engels avec l'enfance du mouvement communiste : *Les Utopistes* et le présent volume. Les deux autres exposent la vision marxiste du but, *La Société communiste,* et le troisième de *La Critique de l'éducation,* avec le problème crucial de la préparation intellectuelle qui est à la fois point de départ de la révolution prolétarienne et effet de celle-ci, la conscience se modifiant au fur et à mesure de la progression des bouleversements matériels dans la société en devenir.

nisé de l'avenir des jeunes et peut, à la rigueur, satisfaire les vieux qui demandent uniquement la stabilité que semble leur assurer la répétition incessante du passé avec les cycles de reproduction du capital.

Les partis ouvriers officiels ne donnent pas davantage, aux jeunes et même à nombre de moins jeunes, de perspective d'avenir dans lequel ils verraient concrètement leurs efforts et leur vie prendre corps. Les sociaux-démocrates, enfermés dans l'opportunisme immédiat, ne peuvent parler d'une société communiste, sans argent, sans marché, donc sans privilèges de classes, ni Etat, comme le prônaient Marx-Engels tout au long de leur vie, car celle-ci implique à l'évidence une révolution violente. Il en va de même des partis communistes officiels, rattachés à l'affairiste et mercantile Moscou qui — au lieu d'abolir progressivement le marché, l'argent, les privilèges de classe et l'Etat — ne fait, après plus de cinquante années d'existence, que les développer jusqu'à leur paroxysme. Leur marxisme est devenu sénile — mais pour cela ils ont dû le falsifier et le renier, en en retranchant tout le... communisme, cet élément subversif que les jeunes ont redécouvert spontanément dans les manifestations de rue lorsqu'ils criaient « l'imagination au pouvoir ! » en l'attribuant aux utopistes et en prenant le marxisme pour ce qu'en disaient les partis ouvriers officiels, séniles ou dégénérés [3].

Or cette partie anticapitaliste du mouvement ouvrier est précisément la raison d'être, le programme pratique du mouvement communiste : c'est elle qui fournit les mobiles qui font agir les révolutionnaires. Le fait qu'elle ait été proclamée par les utopistes, il y a maintenant plusieurs siècles, ne l'a pas rendue caduque, au contraire, puisque le marxisme lui a fourni — comme nous allons le voir dans tous les textes de cette série de recueils — une base plus large et plus solide, tandis que les ouvriers organisés en syndicats et en parti lui donnent une force opérante. En un mot, le socialisme utopique est au socialisme scientifique ce que les balbutiements de l'enfant sont à la force et à la pensée conscientes de l'adulte, tous deux étant de la même chair et du même sang.

---

3. Comme le répétait Lénine à propos de l'extrémisme de gauche, d'abord un enfant n'est pas un malade, ensuite on guérit des maladies infantiles — mais non des maladies séniles.

Ce qui vaut pour l'inimitable beauté de l'art grec, par exemple, vaut aussi pour les merveilleux rêves de l'enfant utopique du socialisme moderne de classe : « Il est des enfants mal élevés et des enfants qui ont grandi trop vite : c'est le cas de nombreux peuples de l'antiquité. Les Grecs étaient des enfants normaux. Le charme que nous inspirent leurs œuvres ne souffre pas du faible développement de la société qui les a fait fleurir : elles en sont plutôt le résultat, inséparable des conditions d'immaturité sociale, où cet art est né, où seul il pouvait naître, et qui ne reviendra jamais plus.[4] »

Instinct de classe et marxisme

Marx-Engels ont la même position vis-à-vis des visions fantastiques de l'intuition des utopistes que vis-à-vis de l'instinct de classe des ouvriers. Loin de leur opposer la froide Raison du professoral « socialisme vrai » avec ses « c'est juste ou c'est faux ! », ils démontrent que les aspirations des uns et des autres correspondent à un besoin social, dont la satisfaction devient une nécessité historique dès lors que le mouvement ouvrier a grandi et s'est multiplié. Engels souligne, certes, les énormes avantages du mouvement ouvrier

---

4. Cf. MARX, *Grundrisse der Kritik der politischen Oekonomie*, trad. fr., 10/18, t. 1, p. 78.

Chez les utopistes aussi, il y a des enfants géniaux, par exemple, Saint-Simon, Fourier ou Owen, comme des enfants attardés, voire réactionnaires, tel le Proudhon de la *Philosophie de la misère*. Ce n'est pas enlever de mérite historique aux grands utopistes que d'affirmer qu'à partir du moment où le mouvement ouvrier a grandi, les idées de son enfance deviennent puériles. Quoi qu'il en soit, comme le dit Engels, il vaut toujours mieux retourner à l'original qu'aux pâles copies et caricatures — aux grands utopistes qu'à leurs disciples attardés.

Marx écrivait à Kugelmann, le 9 octobre 1866, à propos de Proudhon et plus encore de ses successeurs : « Proudhon a occasionné un mal énorme. Sa soi-disant critique et sa soi-disant opposition aux utopistes — il n'est lui-même qu'un utopiste petit-bourgeois, alors que les utopies d'un Fourier, d'un Owen, etc., contiennent l'anticipation et l'image fantastique d'un monde nouveau — a d'abord captivé, puis corrompu la " jeunesse brillante ", les étudiants, puis les ouvriers, surtout parisiens qui, employés à la fabrication de luxe, sont fortement attirés, sans le savoir, par les vieilleries inutiles. »

allemand moderne, qui est né après les mouvements ouvriers anglais et français et n'a pas eu à passer lui-même par le stade infantile — utopique — du communisme, ni à y stagner (le mouvement ouvrier y retombe également à chaque déviation ou maladie, s'il ne dégénère pas de manière pire encore, en s'enlisant dans l'idéologie bourgeoise elle-même, comme c'est le cas actuellement pour les pseudo-partis des ouvriers des pays capitalistes développés). Cependant, il n'en reconnaît pas moins les mérites ineffaçables de l'utopisme socialiste : " *Le second avantage, c'est que chronologiquement les Allemands soient venus au mouvement ouvrier à peu près les derniers* [*c'est vrai aussi des Russes et du parti de Lénine*]. *Cependant le socialisme* scientifique *allemand n'oubliera jamais qu'il s'est élevé sur les épaules de Saint-Simon, de Fourier et d'Owen — trois hommes qui, malgré toute la fantaisie de l'utopisme de leurs doctrines, comptent parmi les plus grands esprits de tous les temps et* ONT ANTICIPÉ GÉNIALEMENT SUR D'INNOMBRABLES IDÉES, DONT NOUS DÉMONTRONS AUJOURD'HUI SCIENTIFIQUE-MENT L'EXACTITUDE. *De même le mouvement ouvrier alle-mand* pratique *ne devra jamais oublier qu'il s'est développé sur la lancée des ouvriers anglais et français, dont il a pu bénéficier directement des expériences que ceux-ci avaient eux-mêmes chèrement payées, et éviter à présent leurs erreurs* AUTREFOIS POUR LA PLUPART INÉVITABLES [5]. "

Aux yeux d'Engels, le socialisme utopique a joué un rôle décisif dans la genèse du marxisme, et tous les textes de ces recueils montreront que le socialisme scientifique ne se rattache en aucune façon aux idéologies bourgeoises, chaque classe ayant une idéologie propre et opposée à celles des autres classes, et chaque mode de production sécrétant ses propres structures idéologiques. De fait, le marxisme déve-loppe l'utopisme en science et relie le programme final, décrit par les socialistes utopiques, aux revendications concrètes et actuelles du mouvement ouvrier, engagé dans la lutte de classe sur trois points à la fois, politique, écono-mique *(syndical) et* théorique.

---

5. Cf. ENGELS, préface de 1870 à *La Guerre des Paysans*, trad. fr., in : MARX-ENGELS, *la Social-démocratie allemande*, 10/18, 1975. Ce recueil est dans la lancée logique des textes de Marx-Engels sur *Le Mouvement ouvrier français* et sur *Le Syndica-lisme*, qui résume l'expérience des luttes économiques du prolé-tariat.

L'utopisme est au marxisme ce que l'intuition est à la science, et la poésie à la recherche scientifique, qui n'est pas froide technique ni simple déduction expérimentale, mais courage intellectuel sur des sentiers non encore battus, avec des perspectives éblouissantes non pour le stérile esprit individuel, dont les satisfactions sont dérisoires, mais pour la vie matérielle et le cerveau collectif de l'espèce humaine.

La science naît de l'instinct et de l'intuition dans l'action, et le marxisme n'a pas la position bornée des sciences bourgeoises qui considèrent — et avec quelles réticences le plus souvent ! — que le déterminisme et la science ne peuvent s'appliquer qu'au domaine physique extra-humain. Il s'attaque, au contraire, d'abord aux faits historiques des grandes masses (classes) de la société humaine, avant de donner — avec l'instauration du socialisme — une impulsion insoupçonnable aujourd'hui aux sciences de la nature qui, une fois unifiées, engloberont également celles de l'homme.

Aujourd'hui la débilitante division du travail, qui correspond à la division des sciences, compartimente chaque activité manuelle ou intellectuelle dans un secteur si étroit qu'il n'est plus possible à qui que ce soit d'avoir une conception humaine, active et synthétique, c'est-à-dire sociale. Ce n'est que lorsqu'elle sera brisée que naîtra l'union entre poésie et science, quand le travail manuel ne sera plus séparé du travail intellectuel.

C'est alors que les aspirations obscures des utopistes deviendront réalité, élaborée consciemment et systématiquement par l'humanité maîtrisant la nature humaine aussi bien que la nature ambiante, grâce à l'œuvre collective en vue du bonheur de tous.

Intuition et science

Les aspirations communistes, théorisées par les utopistes, même si elles n'étaient pas réalisables dans l'immédiat, n'étaient pas " fausses ". Dans les classes productrices, frustrées et exploitées, elles ont en leur temps exprimé un besoin matériellement déterminé, *mais refoulé à chaque fois avec succès, tant que la société de classe est encore une nécessité*

9

*historique, préalable à l'extension à toute la société humaine
du communisme des petits groupes au sein desquels il
subsistait* primitivement. *Le socialisme moderne ne se fixe-t-il
pas lui-même pour but de remplacer "la production capitaliste par la production coopérative, soit une* forme supérieure *du type archaïque de la propriété collective du
communisme primitif* [6] " ?

*Une intuition peut être plus juste que la science "positive", dont l'évolution des connaissances elle-même a révélé
si souvent la fragilité, voire les déformations. En fait,
l'inexact saisit le réel dans sa vérité avant et mieux que
l'exact. Si le produit de l'art ne dégénère pas aussi vite que
celui de la "science", c'est que l'intuition précède victorieusement la connaissance et la prétendue science
"exacte". Ainsi dans la dynamique humaine qu'est une
révolution, l'art marque une étape, tandis que la science
officielle se prélasse dans le conservatisme — et c'est encore
plus vrai lorsqu'elle se réalise dans la technique, comme on
la conçoit aujourd'hui* [7].

*S'il a l'instinct de classe, le prolétaire illettré possède des
certitudes inaccessibles à la science — on peut bien les taxer
avec dérision d'utopiques, cela nous laisse de marbre, d'autant que nos contradicteurs nient tout déterminisme dans la
vie sociale. Notre thèse se trouve encore confirmée par le fait
que, de nos jours, les partis communistes dégénérés chantent
tant les louanges de la Technique, tout en étant si étrangers
à l'art vivant et ce n'est pas le vénal et milliardaire Picasso,
dont la peinture tourne le dos au prétendu réalisme socialiste cher à Staline, qui suffira à le démentir.*

L'évolution des sciences démontre que l'instinct et l'intuition ont remporté plus d'une victoire sur la froide et non

6. Cf. Marx à Vera Zassoulitch, février 1881, brouillon II,
in *Marx-Engels Archiv*, édité par D. Riazanov, Francfort-sur-le-Mein, 1928, Bd. I, p. 331.

7. Ainsi l'insurrection est un art, dans la définition du « général » Engels, étant donné qu'elle exige un mélange subtil de pratique et de théorie révolutionnaires, d'énergie, de science et de
poésie. Elle suppose une intuition profonde dans le cours tragique des événements, en même temps que la rigueur, de l'esprit
mathématique, pour ainsi dire.
Ce n'est pas par hasard que Trotsky, aux intuitions si profondes, fut l'*efficace* général de la guerre civile en Russie des
années 1920.

dialectique Raison, cet autre fétiche de la pensée bourgeoise. La physique et les mathématiques elles-mêmes n'ont-elles pas fait partie pendant très longtemps de la religion et de la philosophie au temps où la division ne séparait pas la connaissance ? Au XVIIIe siècle encore — comme Marx le rappelle —, la métaphysique faisait encore progresser la connaissance et opérait des découvertes en mathématique et en physique.

On ne peut s'empêcher de comparer les savants du passé et leurs schémas géométriques et métaphysiques *d'explication du* monde, *avec les socialistes utopiques qui illustraient leur vision de la* société des hommes *avec leurs plans fantastiques. Ceux-ci avaient une tout autre allure que la vision qu'ont du monstrueux monde actuel nos contemporains en général et leurs porte-parole, scientifiques ou non, enfoncés qu'ils sont tous dans leurs préjugés et leurs connaissances sociales de pacotille.*

Les visions fantastiques du monde des sages de l'antiquité et des utopistes — tout ingénues qu'elles aient été — correspondaient aux besoins et à la pensée pratiques de leur époque. Qui plus est, elles ont fait progresser non seulement les conditions d'alors, mais ont permis des développements scientifiques ultérieurs, comme le montre, par exemple, l'astronome Ptolémée. Dans le système de celui-ci, on pouvait encore se demander pourquoi le soleil ne tombait pas sur la terre. La réponse qu'en donnaient les Anciens pouvait toujours satisfaire Dante *— ce qui démontre sa solidité : chaque corps est attaché, pour ainsi dire fixé ou collé, à une sphère qui tourne dans le ciel en ayant la terre pour centre. Dans l'univers de Dante, l'ultime et plus grande sphère est celle de l'Empyrée, le ciel des étoiles fixes qui, grâce à Dieu, tourne autour de lui-même en 24 heures en même temps que tous les astres qui ne sont pas des planètes ou des étoiles errantes, dont chacune est liée à un ciel de degré moindre, jusqu'à celui de la lune, qui est le premier.*

Galilée, qui avait — comme il se doit — le plus profond respect pour Dante, ne rit pas de sa construction naïve, mais dit simplement : ne vaudrait-il pas mieux se demander pourquoi la terre ne tombe pas sur le soleil ? En inversant de la sorte la question [8], *il inaugura une nouvelle étape*

---

8. Ce qui importe, ce n'est pas la réponse (juste, fausse ou moitié juste et moitié fausse), mais la question, car la réponse dependra de la manière dont on pose la question. Chaque mode

historique de l'homme et de son savoir, qui donna la loi de la gravitation universelle (newtonienne).

Intérêt pratique de l'utopisme

On est fondé de dire que les utopistes se posaient la même question que le marxisme, mais ils ne pouvaient y répondre qu'avec les moyens que leur fournissait en leur temps le développement des forces productives. C'est ce qui saute aux yeux dès qu'ils passent à la réalisation pratique de leurs intuitions communistes : les matériaux utilisés sont ceux-là mêmes qu'ils trouvent devant eux, à leur époque. Fourier, par exemple, vivait alors que l'agriculture dominait, l'industrie étant encore dans les limbes. Il fut donc le socialiste de l'époque de la physiocratie, ses plans se réalisant au niveau agraire.

Son intérêt est, à nos yeux, double et immense : 1. Au niveau alors atteint historiquement et économiquement, Fourier proposait une solution productive conforme aux intérêts des classes laborieuses, et non d'une minorité de privilégiés oisifs et exploiteurs. En ce sens, il a une position de " classe ", communiste, même s'il nie — et pour cause, étant donné au tout début du XIXe siècle la passivité des masses — la lutte des classes. 2. Certaines solutions proposées par Fourier demeurent valables aujourd'hui encore, à titre, par exemple, de mesures générales de transition au socialisme. Il en est ainsi de son droit au travail. *Celui-ci peut aussi bien s'appliquer aux conditions d'un pays qui se trouve encore à un stade agraire arriéré qu'à celles d'un pays*

---

de production se pose ainsi des tâches et des problèmes nouveaux, et il leur donne la solution conformément aux forces concrètes dont il dispose. C'est à l'échelle sociale que se vérifie la formule de Marx, selon lequel poser la question est la chose la plus difficile : « De même que la solution d'une équation algébrique est donnée, sitôt que le problème est posé dans ses rapports les plus nets et les plus clairs, de même toute question trouve sa réponse, sitôt qu'elle est devenue une question véritable. L'histoire universelle elle-même ne connaît pas d'autre méthode que de répondre à de vieilles questions par de nouvelles, et de s'en débarrasser ainsi. » (« La Question de la centralisation », manuscrit resté inédit d'un article de *La Gazette rhénane,* 17 mai 1842.)

industriel avancé. Les utopistes imaginent toujours des solutions susceptibles de s'appliquer à tous les individus à chaque pas en avant des forces productives de la société : leurs idées ont une grande actualité, voire un avenir immense, puisque le capitalisme creuse précisément les écarts entre les hommes et les pays, du fait de son développement hautement inégal.

Les utopistes ne s'abstrayaient pas le moins du monde de leur temps et des conditions réelles qui existaient alors. Tout au contraire, ce qui les caractérise, c'est précisément leur vision dialectique aiguë du développement concret de l'histoire, que nous ne pouvons attribuer qu'à ceux qui sont l'expression de temps agités où l'histoire en mouvement brise les préjugés et permet une vision profonde dans la dynamique de l'histoire. Les utopistes ont ainsi fait preuve d'un sens peu commun pour déceler les développements, non seulement de la société communiste, mais encore du capitalisme. Fourier a théorisé le stade ultime du monde bourgeois, la phase de la direction des " managers ", comme il a saisi le mécanisme de développement des sociétés primitives, théorisées ensuite par Morgan qui frôla le communisme dans ses descriptions des tribus indiennes [9].

Dans ses plans les plus fantastiques, Fourier — comme Owen — tenait le plus grand compte du faible développement des forces productives dans la période où le capital n'a pas encore procédé à son accumulation primitive, et le travail manuel prévaut largement sur le travail mécanique. Aussi proposait-il d'allonger au maximum la journée de travail par de " courtes séances " et des " variations fréquentes " de l'activité [10].

---

9. Saint-Simon, pour ne pas l'oublier, a non seulement théorisé le crédit mais a fourni, bien malgré lui, à ses disciples embourgeoisés, la base du système financier pour le capitalisme le plus développé.

10. A ce propos, Marx écrit dans *Le Capital*, I (Ed. sociales, t. 1, p. 284) : « Indépendamment de l'excès de travail qu'il créait, ce susdit système de relais [anglais] était un produit de la fantaisie capitaliste, tel que Fourier n'a pu le dépasser dans ses esquisses les plus humoristiques des " courtes séances " ; mais il faut dire que ce système remplaçait l'attraction du travail par l'attraction du capital. » Dans son *Nouveau Monde industriel et sociétaire* (éd. de 1829, p. 80), Fourier écrit : « Les plaisirs civilisés ne sont toujours que des fonctions improductives, tandis que l'état sociétaire applique la variété de plaisirs aux travaux

13

*Engels défendit contre les gros rires de professeurs préten-
tieux et superintelligents l'idée hautement fantaisiste des
futures mers de limonade de Fourier, en soulignant qu'elle
partait d'une conception révolutionnaire et féconde — celle
de la transformation de la nature conformément aux besoins
de l'homme.*

Tant que la bourgeoisie fut révolutionnaire, *elle rêva, elle
aussi, de transformer les continents et la nature grâce à la
technique fraîchement découverte. Le percement du canal
de Suez fut l'œuvre grandiose de Ferdinand Lesseps, un
fervent admirateur de l'utopiste Saint-Simon, et l'idée de
Suez passa dans le monde du* XIXᵉ *siècle pour une idée socialiste. Elle enthousiasma tous les éléments progressifs de ce
siècle : les marxistes eux-mêmes ne considèrent-ils pas la
création du marché mondial, avec les liaisons et communications intercontinentales, comme la prémisse de la transformation socialiste du monde ?*

*En tout cas, le projet était déjà ancien. Napoléon Iᵉʳ
l'avait caressé, après avoir fait appel au philosophe Leibnitz,
ce grand mathématicien : Bonaparte ne rêvait-il pas de briser la suprématie maritime et impériale anglaise*[11] *? Des*

---

devenus attrayants. » Il exagère même dans la mobilisation du
travail (si nécessaire pourtant en son temps), quand il prétend
par-dessus le marché que le travail est « attrayant », ce qui fait
dire à Marx : « Le travail ne peut devenir jeu, comme le
voudrait Fourier, qui a eu le grand mérite de démontrer que le
but ultime exige que l'on élimine non seulement la distribution
actuelle, mais encore le mode de production, même sous ses
formes les plus développées. » (*Grundrisse*, 10/18, t. 3, p. 354.)
Marx soulignera que le travail est souvent un rude effort —
et le restera toujours, même dans la société communiste où la vie
aura ses tensions et ses drames, qui seront véritablement humains
précisément lorsque l'inhumaine concurrence et lutte (de classes)
entre hommes aura cessé et que la nature physique sera la seule
force qu'il s'agira de dominer. Il n'est pas de vie sans effort, et
le travail trouvera alors sa récompense, d'une part, en lui-même,
dans l'effort surmonté (comme dans une escalade réussie), d'autre
part, dans le don de son travail à la société, celle-ci ne rémuné-
rant plus individuellement le travail avec de l'argent, chacun
donnant d'après ses facultés et recevant d'après ses besoins.
11. Sur l'importance stratégique de cet endroit du monde, hier
et aujourd'hui, cf. l'introduction du *Fil du temps*, nº 11, sur

civilisations plus antiques encore avaient, elles aussi, conçu ce plan : le pharaon Sésostris l'aurait même entrepris, et selon Hérodote 120 000 travailleurs auraient péri dans la tentative d'un autre pharaon. Les califes arabes y renoncèrent, par crainte d'ouvrir la voie aux flottes de Byzance. Après la découverte de la route de l'Inde, au XVe siècle, les Vénitiens s'attaquèrent au projet, mais les Turcs s'y opposèrent : une aspiration peut être longue à se réaliser, sans être sotte pour autant.

Mais lorsque Lesseps voulut renouveler son exploit à Panama, l'entreprise tourna au scandale (financier) ; celui-ci éclaboussa le grand ingénieur lui-même qui fut condamné à cinq ans de prison. Aujourd'hui le canal de Suez est fermé à chaque guerre " cyclique " dans cette région stratégique du monde, et la vie, dans la Méditerranée, est en train d'étouffer sous la masse de merde accumulée par l'industrialisme vénal. On est loin de la mer de limonade de Fourier !

Communisme d'hier, d'aujourd'hui et de demain

L'orientation " objectiviste " de la science bourgeoise fait non seulement d'elle un savoir hautement partial, mais lui pose encore des lunettes de classe : " Il en va donc de l'histoire humaine comme de la paléontologie : des choses qui se trouvent sous le nez, même les esprits les plus éminents ne les voient pas par principe, *en raison d'un aveuglement déterminé de leur jugement. Ensuite, quand le temps en est venu, on s'étonne que ce qui n'a pas été vu laisse des traces partout. La première réaction à la révolution française et au rationalisme, qui y était lié, a été naturellement de tout voir sous l'aspect médiéval et romantique, et même des gens comme Grimm n'en ont pas été exempts. La seconde réaction — et elle correspond au courant socialiste, bien que ces savants ne se doutent nullement qu'ils s'y rattachent — a été de découvrir, au-delà du Moyen Age, l'époque primitive de chaque peuple. Et alors, ils ont été tout surpris de retrouver, dans ce qu'il y a de plus ancien, ce qui est le plus neuf,*

« Le Marxisme et la Question militaire ». Les troupes d'Hitler ne durent-elles pas avancer jusqu'au canal de Suez pour tenir... l'Europe et son flanc sud ?

ainsi qu'un égalitarisme tel qu'un Proudhon lui-même en frémirait d'horreur [12]. "

Le marxisme est la théorie scientifique du mouvement réel de toute la société vers le communisme, d'un mouvement qui n'est jamais interrompu, de l'aube du communisme primitif à la fin du capitalisme [13]. Il s'est poursuivi

12. Cf. Marx à Engels, 25 mars 1868.
Marx renvoie ici à l'idée selon laquelle le communisme renouera avec les rapports sociaux du communisme primitif, en y joignant les acquêts techniques développés par les sociétés ultérieures. Plus loin dans sa lettre, il montre comment des traces nombreuses de communisme (primitif) subsistent même dans les sociétés de classe, ce que ne peuvent voir ceux qui ont des œillères et des préjugés propres à leur position de privilégiés de la propriété privée, mais ce qui n'échappe pas aux utopistes.
Enfin, Marx y développe l'idée selon laquelle chaque mode de production sénile devient antisocial et ravage la nature ambiante, comme ce fut le cas notamment de la Grèce et de la Rome *esclavagistes,* et du capitalisme sous nos yeux : « L'ouvrage de Fraas (*Le Climat et la flore dans le cours du temps, leur histoire commune,* 1847) est très instructif, car il démontre comment le climat et la flore se modifient dans l'histoire et le temps. Il est darwiniste avant Darwin, et fait naître les espèces elles-mêmes à une époque historique ; mais il est en même temps agronome. Il affirme qu'avec la culture du sol — selon son degré d'intensité — l'humidité si chère aux paysans se perd, d'où la migration des plantes du Sud vers le Nord et la formation de steppes à la fin. Le premier effet de la mise en culture serait utile, mais elle finirait par être dévastatrice, à la suite du déboisement, etc. C'est tout autant un philologue éminent (il a écrit des livres en *grec*) qu'un chimiste, agronome, etc. La conclusion en est que l'agriculture — si elle progresse de manière spontanée et naturelle, et n'est pas *dominée consciemment* (comme bourgeois, il ne va pas jusque-là naturellement) — laisse derrière elle des déserts, comme ce fut le cas en Perse, en Grèce, en Mésopotamie, etc. Ainsi donc, une fois de plus, une tendance socialiste ! »
13. A la fin le *capital lui-même* produit son fossoyeur, et les conditions de destruction de la vieille société ainsi que les éléments de formation de la nouvelle : « Je ne considère pas la *grande industrie* simplement comme la mère de l'antagonisme, mais encore comme la productrice des conditions MATÉRIELLES ET SPIRITUELLES de la solution de ces antagonismes, qui toutefois ne peut s'effectuer par une voie pacifique. » (Marx à Kugelmann, 17 mars 1868).
Le Capital de Marx est systématiquement axé sur cette dialectique, imperméable à ceux qui ont des œillères de classe. Nous développerons ce point dans le recueil de Marx-Engels sur *La Société communiste.*

*également dans les aspirations et les tentatives révolution-
naires des classes productives, à l'autre pôle de l'antagonisme social existant, et se manifeste de la manière la plus
vive, lorsque la société se remet en mouvement, au moment
des ébranlements, crises et révolutions (1525, 1646, 1793,
1848, 1871 et au cours de ce siècle dans tant de pays en
révolution contre les conditions précapitalistes).*

*Ce n'est pas par hasard que les Fourier et Saint-Simon
aussi bien que les Héraclite et Hegel furent de grands
dialecticiens, l'époque historique dans laquelle ils vivaient
était au comble de ses contradictions et le flot tumultueux
de l'histoire se remettait en mouvement à la recherche de
solutions nouvelles. Ce caractère éminemment matérialiste
de la dialectique explique que Marx — contrairement à tous
les professeurs en marxisme — n'ait jamais écrit de manuel
sur la dialectique pour livrer des recettes toutes faites à ses
disciples (bien que le besoin s'en fît sentir souvent très
cruellement) : l'histoire elle-même enseigne la dialectique
en cadeau — non pas dans les écoles, mais dans la rue et
l'action historique pratique.*

Dans le Manifeste, *Marx-Engels distinguent entre deux
utopismes : l'un est réactionnaire, tourné vers le passé et
rêve du communisme primitif — comme les communautés
du christianisme primitif d'abord dans la communion de la
consommation, puis dans le ciel — et aspire à l'égalité
primitive ; l'autre, révolutionnaire, critique les conditions
inhumaines à l'aube de la société bourgeoise et a l'intuition
du communisme futur, dont la base matérielle nouvelle se
développe progressivement au sein de la société capitaliste
actuelle qui, selon les termes de Marx, accouchera du
communisme* [14] : " *Les innombrables formes contradictoires*

---

14. Cette société n'est pas une possibilité qui se « construira »
après la prise du pouvoir, comme dans la monstrueuse théorie
du « socialisme dans un seul pays » de Staline, l'architecte dont
le démiurge principal sera l'Etat, et non plus la classe du
travail — le prolétariat. En fait, il suffit d'un acte politique
violent, puis d'une longue dictature, pour consolider un premier
résultat, qui a dégagé le communisme de ses entraves actuelles,
afin qu'il se développe librement : « La violence est l'accoucheuse de toute société vieille qui est enceinte d'une nouvelle.
C'est elle-même un agent économique. » (*Le Capital*, I, Werke
Dietz, 23, p. 779.) La traduction Roy, reprise par toutes les éditions françaises du premier livre du *Capital*, semble hésiter
devant une conception aussi hardie : « Et, en effet, la force est

de l'unité sociale ne sauraient être éliminées par de paisibles métamorphoses. Au reste, toutes nos tentatives de les faire éclater seraient du donquichottisme, si nous ne trouvions pas, enfouies dans les entrailles de la société telle qu'elle est, les conditions matérielles et les rapports de distribution de la société sans classes [15]. *"*

Marxisme et utopisme

Le marxisme a en commun avec l'utopisme le but du communisme supérieur. Comme il ressort de la première partie de ce recueil, il ne règne pas de divergences entre eux sur cette ultime évolution de l'humanité — abolition de l'argent, des classes, de la division du travail, de la contradiction entre villes et campagne, de l'Etat. Certes, l'utopisme, étant donné l'immaturité des conditions sociales de son époque, ne pouvait en avoir que l'intuition, et ses plans *pratiques pouvaient — et devaient même — être en contradiction avec ce but suprême. Cependant son intuition l'emporte, à nos yeux, sur tous ses éléments hétérogènes de mise en pratique fantastique.*

Selon la formule d'Engels, le marxisme reprend cette intuition et la fonde scientifiquement sur la société communiste *qui existe déjà au sein de la société capitaliste, celle que le travail des prolétaires a forgée à un pôle des contradictions qui feront éclater le capitalisme — la socialisation réalisée des forces productives.*

*Dans l'*Anti-Dühring, *Engels résume comme suit le cours du capitalisme (cette révolution permanente des forces productives objectives) et son débouché dans le socialisme :* RÉVOLUTION CAPITALISTE. *Transformation de l'industrie, d'abord au moyen de la coopération simple et de manu-*

---

l'accoucheuse de toute vieille société en travail. La force est un agent économique. » (Ed. sociales, t. 3, p. 193.) Auparavant, Marx avait montré que c'est exactement de cette façon que le capitalisme était né de la société féodale dans le procès de l'accumulation primitive : « Quelques-unes de ces méthodes reposent sur l'emploi de la force brutale, mais toutes sans exception exploitent le pouvoir de l'Etat, la force concentrée et organisée de la société, afin de promouvoir comme en serre chaude le passage de l'ordre économique féodal à l'ordre économique capitaliste et d'abréger les phases de transition. »
15. MARX, *Grundrisse*, 10/18, t. 1, p. 159.

facture. Concentration en grands ateliers des moyens de production jusque-là dispersés et, en conséquence, transformation *des moyens de production individuels en moyens sociaux — transformation qui n'affecte pas la forme de l'échange dans son ensemble. Les formes d'appropriation traditionnelles restent cependant en vigueur :* le *capitaliste, en sa qualité de propriétaire des moyens de production, s'approprie aussi les produits et en fait des marchandises. La production* est *devenue un acte social ; l'échange et avec lui l'appropriation restent des actes individuels :* le produit social est approprié par le capitaliste individuel. *De cette contradiction fondamentale jaillissent tous les antagonismes dans lesquels se meut l'actuelle société, et que la grande industrie fait apparaître en pleine lumière.*

A. Le producteur est séparé de ses moyens de production. L'ouvrier est voué au salariat à vie. Le prolétariat s'oppose à la bourgeoisie.

B. Les lois qui dominent la production de marchandises se manifestent de plus en plus avec une efficacité croissante [16]. *Dans la concurrence, la lutte devient de plus en plus effrénée.* L'organisation sociale, dans chaque fabrique, est en contradiction de plus en plus grande avec l'anarchie sociale qui sévit dans la production dans son ensemble.

C. D'un côté, le machinisme se perfectionne sans cesse, au travers de la concurrence, qui est une loi impérative pour tout fabricant et entraîne une élimination toujours plus massive d'ouvriers, et donc la formation d'une armée industrielle de réserve. *De l'autre côté, la production s'étend sans limite, et c'est également une loi impérative de la concurrence pour chaque fabricant. Des deux côtés, on assiste à un développement inouï des forces productives, à l'extension de l'offre par rapport à la demande, à l'encombrement des marchés, aux crises décennales, à tout ce cercle vicieux :* ici, excédent de moyens de production et de produits — là excédent d'ouvriers *privés d'emploi et dépouillés de leurs*

---

16. Les stades A, d'une part, B, C et D, d'autre part, de l'évolution capitaliste correspondent à la subdivision entre stade de soumission formelle et réelle du travail au capital, faite par MARX, *Un chapitre inédit du « Capital »*, 10/18, p. 191-223.

moyens d'existence. Cependant ces deux leviers de la pro-
duction et du bien-être social ne peuvent s'accorder du fait
que la forme de production capitaliste interdit aux forces
productives d'exercer leur action, et aux produits de circu-
ler, à moins qu'ils aient trouvé d'abord à revêtir la forme
du capital — ce que leur surabondance même empêche. La
contradiction s'accroît jusqu'à l'absurde : le mode de production se rebelle contre la forme de l'échange. *La bour-*
geoisie s'avère incapable de diriger plus longtemps ses
propres forces productives sociales.

D. *La reconnaissance du caractère social des forces*
productives s'impose en partie aux capitalistes eux-mêmes.
Les grands organismes de production et de communication
sont appropriés d'abord par des sociétés par actions, *puis*
par des trusts, ensuite par l'Etat. *La bourgeoisie s'avère*
comme une classe superflue : toutes ses fonctions sociales
sont désormais remplies par des employés rémunérés.

RÉVOLUTION PROLÉTARIENNE : *Les contradictions se*
résolvent : le prolétariat s'empare du pouvoir public et, au
moyen de cette puissance, transforme les moyens de pro-
duction sociaux qui échappent des mains de la bourgeoisie
en propriété publique. Par cet acte, il dépouille les moyens
de production de leur qualité antérieure de capital et donne
à leur caractère social pleine liberté de se réaliser dans le
développement ultérieur. Il est désormais possible d'organi-
ser la production sociale selon un plan concerté et établi
à l'avance. Le développement même de la production fait
de l'existence ultérieure des différentes classes sociales un
anachronisme. A mesure que l'anarchie de la production
sociale disparaît, l'autorité politique de l'Etat entre en
sommeil. En dominant enfin leur propre socialisation, les
hommes deviennent, par là même aussi, maîtres de la
nature, maîtres d'eux-mêmes — libres.
La mission historique du prolétariat moderne est d'accom-
plir cette action émancipatrice du monde entier. La tâche
du socialisme scientifique, expression théorique du mouve-
ment prolétarien, est d'en déterminer précisément *les condi-*
tions historiques *et, par là même, la nature, afin de donner*
à la classe qui a pour mission de réaliser cette œuvre et qui
est aujourd'hui une classe opprimée, la conscience des
conditions et de la nature de son action propre.
Ce qui distingue en fin de compte le vieil utopisme du

moderne *socialisme scientifique (dont la conception est strictement matérialiste et se fonde sur le développement historique et économique), c'est que le second décrit le* passage *politique et économique du capitalisme au communisme à travers les luttes de classe du prolétariat et prévoit concrètement le passage politique et économique du capitalisme à la phase inférieure du socialisme, avant d'arriver au but commun auquel aspiraient les utopistes, avec l'abolition du marché, de l'argent, du salariat, des classes et de l'Etat.*

Ce passage historique *suit trois niveaux principaux : le premier en est la situation du prolétariat luttant dans l'actuelle société capitaliste, le second la conquête du pouvoir, et le troisième la phase inférieure du socialisme.*

Marx-Engels ont axé toute leur œuvre sur cette dynamique, d'abord dans l'étude de la situation des classes laborieuses, l'analyse du Capital, *les luttes syndicales et leur développement en luttes politiques et sociales, la conquête du pouvoir de l'Etat (1848, 1871) et les programmes concrets de transition du* Manifeste, *de la* Commune *et du programme de* Gotha.

En un mot, ce qui distingue fondamentalement le marxisme de l'utopisme, c'est la dictature du prolétariat. *C'est ce que Lénine explique de manière synthétique dans son ouvrage au titre évocateur* l'Etat et la révolution, *en citant la lettre où Marx résume en trois points ce qui fait l'originalité de son œuvre et de ses conceptions :* " Ce que j'ai fait de nouveau, c'est de démontrer 1. que l'existence des classes n'est liée qu'à des phases déterminées de développement historique de la production ; 2. que la lutte des classes aboutit nécessairement à la dictature du prolétariat ; 3. que cette dictature elle-même ne constitue que la transition à l'abolition de toutes les classes et à une société sans classes [17]. "

Le marxisme remet sur ses pieds la position des utopistes, pour lesquels la description de la société communiste est essentielle, notamment pour ce qui touche les détails de sa structure d'une ampleur et d'une fécondité infinies. Ce qui passe pour lui au premier plan, c'est la description de la société passée et présente, ainsi que la déduction des processus de la révolution qui en découlent, la détermination précise de ses caractéristiques, les rapports et les structures que la force révolutionnaire devra briser.

---

17. Lettre de Marx à Weydemeyer, 18 mars 1852.

*Il ne s'agit plus de démontrer, comme l'ont fait les uto-
pistes, que le communisme est possible, et supérieur au
système capitaliste, mais de prouver — aux travailleurs avec
leur théorie de classe, et aux capitalistes avec la force des
armes — qu'il est sûr, nécessaire, inévitable.*

Plan de ce recueil

*La question des utopistes est la plus attachante et aussi
la plus passionnante qui soit, car elle soulève des points
fondamentaux, comme nous l'avons vu pour ce qui concerne
le caractère de classe antagonique de l'idéologie bourgeoise
et marxiste, chacune d'elles ayant ses propres racines de
classe, et se rattachant à un mode de production toujours
antagonique et successif. Le socialisme utopique nous fournit la clé de ce problème essentiel, car il fait barrage entre
le rationalisme et matérialisme révolutionnaire de l'époque
bourgeoise et le socialisme scientifique.*

*Les textes de Marx-Engels fournissent une très ample
matière pour suivre la genèse du socialisme scientifique :
celui-ci se rattache, d'une part, au " parti communiste véritablement agissant " (Münzer, Babeuf, etc.), surgi aux côtés
des partis bourgeois dans la révolution antiféodale, pour
ce qui concerne les moyens de lutte anticapitaliste et, d'autre
part, aux socialistes utopistes pour la critique de la société
bourgeoise et, à tous deux, pour la vision de la société
communiste supérieure.*

*Afin de familiariser d'abord le lecteur avec les grands
utopistes, nous commençons par un premier recueil des
textes dans lesquels Marx-Engels reprennent — dans leur
propagande d'abord, puis dans l'élaboration scientifique —
les revendications de l'utopisme, pour les élargir et les sys-
tématiser (dans la seconde partie de ce recueil) en un
ensemble cohérent de mesures de transition au communisme
final. La différence de méthode saute aux yeux, Marx-Engels
se fiant pour cette évolution aux moyens matériels et théoriques, issus du mode de production existant lui-même, sur
la base de la méthode historique du matérialisme économique.*

*Dans ses discours d'Elberfeld, au début de ce recueil,
Engels part des idées et des réalisations de colonies communistes utopiques pour faire d'abord la critique des conditions de vie et de distribution de l'actuelle société, puis pour*

prôner, lui aussi, le type de communauté prévu par les utopistes pour la société future, comme il le répétera dans plusieurs de ses écrits ultérieurs. En marxiste, il étaye par l'économie, la politique et l'histoire les conceptions utopistes du lointain but communiste.

Dans ces deux discours que nous avons placés en tête de ce recueil, Engels décrit essentiellement une réalisation de l'utopiste Owen, un palais carré de 500 mètres de côté environ, contenant un grand jardin et capable de loger de deux à trois mille personnes. En fait, c'est un projet plus valable que beaucoup d'autres de l'architecture même la plus moderne : les maisons d'aujourd'hui de 25 hectares n'entasseraient pas moins de dix mille personnes — pour leur malheur ! Il y a 125 ans, c'était une vision futuriste que celle du chauffage central (dans la traditionnaliste Angleterre, de nos jours encore, on s'en prend aux projets qui renoncent aux cheminées individuelles pour chaque pièce !)

Le génial Owen avait tout calculé pour réaliser des économies immédiates, et Engels en profite pour faire le compte minutieux de tout le gaspillage énorme de forces de travail que comporte l'atomisation de l'humanité en cellules familiales privées qu'Owen voulait éliminer précisément.

La détermination du gaspillage permet plus qu'une critique fondamentale de la société capitaliste, car on peut en déduire la quantité de « déchets » que provoque tel système de production et de distribution en établissant une espèce d'étalon qui mesure le travail nécessaire pour produire un certain effet utile ou satisfaire un besoin donné. En son temps, l'industrie capitaliste a centuplé — par rapport à l'artisanat féodal — la capacité productive de la force de travail, avant de tomber à son état sénile dans un gaspillage, cette fois, plus impressionnant encore. Engels démontre que la dilapidation éhontée de forces humaines dans le capitalisme coupe les ailes au développement de l'homme social, épanoui dans tous les arts, les productions et les sciences. L'homme privé vit, séparé et cloisonné dans son isolement — ce qui provoque aujourd'hui plus que jamais un gaspillage énorme pour un résultat social et humain essentiellement négatif. Hors de son travail, l'homme moderne est de plus en plus incapable de se rendre solidaire, ne serait-ce que parce qu'il doit d'abord satisfaire ses propres besoins et ceux — plus vénérables encore ! — de sa famille. Cependant, d'ores et déjà, la vie moderne socialise de plus en plus les conditions de vie des individus et rend *plus intolérable la vie privée des hommes — ce qui multiplie les frictions entre les petites cellules familiales, de plus en plus isolées, et au sein d'elles.*

Le gaspillage est aussi délétère en économie qu'en politique. Dans ce texte, Engels démontre, en outre, que les deux sièges essentiels du gaspillage dans l'actuelle société sont la patrie et la famille. Ces deux communautés, l'une naine et l'autre éléphantesque, impliquent l'individu parcellarisé, atomisé, la famille assurant son entretien privé et sa reproduction biologique, et l'Etat, avec ses énormes institutions parasitaires, son entretien social.

La communauté de biens les sape tous deux à la base, en même temps qu'elle permet à l'individu de devenir un être social, humain, désaliéné : les utopistes en étaient parfaitement conscients et ont voulu la réaliser sans attendre.

Communautés utopistes

« *Rien dans la Société n'appartiendra singulièrement ni en propriété à personne, que les choses
dont il fera un usage actuel, soit pour ses besoins,
ses plaisirs ou son travail journalier.* »

MORELLY, Code de la nature, *p. 190.*

Discours d'Elberfeld

I

Messieurs !

Ainsi que vous venez de l'entendre et qu'il m'est permis de le penser, c'est un fait universellement connu que nous vivons dans le monde de la libre concurrence [1]. Mais considérons d'un peu plus près cette libre concurrence et l'ordre social qu'elle engendre. Dans notre société actuelle, chacun travaille pour son propre compte, chacun ne cherche qu'à s'enrichir et ne se soucie pas le moins du monde de ce que font les autres. Il n'est pas question d'une organisation rationnelle, et on ne peut même pas parler d'une répartition du travail, au contraire, chacun s'efforce de passer avant l'autre et cherche à exploiter l'occasion favorable pour ses intérêts privés, et il n'a ni l'envie ni le loisir de penser qu'au fond son propre intérêt coïncide avec celui de tous les autres hommes. Le capitaliste privé se trouve en lutte contre tous les autres capitalistes, et l'ouvrier individuel contre tous les autres travailleurs, les capitalistes luttent contre tous les ouvriers, comme la masse des ouvriers lutte nécessairement à son tour contre la masse des capitalistes. Dans cette guerre de tous contre tous, dans cette anarchie générale et cette exploitation mutuelle se trouve l'essence de l'actuelle société bourgeoise. Une économie aussi déréglée, messieurs, doit cependant nécessairement occasionner à la longue les résultats les plus néfastes pour la société. Le désordre sur lequel elle repose et l'absence de tout intérêt pour le bien général véritable doivent tôt ou tard finir par éclater au grand jour. La ruine des classes petites-bourgeoises, de la masse qui avait constitué au cours du siècle dernier la base essentielle de l'Etat, est la première conséquence de cette lutte. Nous voyons tous les jours que cette classe de la société est écrasée par la puissance du capital ; par exemple,

---

1. Cf. ENGELS, in *Rheinische Jahrbücher zur gesellschaftlichen Reform*, 1845.

le maître-tailleur indépendant perd ses meilleurs clients par suite du développement des ateliers de confection, et les ébénistes par suite du développement des ateliers et magasins de meubles : comme les petits capitalistes, de membres de la classe *possédante,* ils sont transformés en prolétaires dépendants qui travaillent pour le compte d'autrui, en membres de la classe *privée de propriété.* La ruine des classes moyennes est l'une des conséquences tant déplorée de notre liberté d'industrie tant vantée. C'est un résultat nécessaire des avantages que le grand capitaliste possède sur son concurrent qui possède moins ; c'est le signe de vie le plus énergique du capital qui tend à se concentrer en peu de mains. Cette tendance du capital a également été mise en évidence par nombre de personnes et on déplore en général que la propriété s'accumule chaque jour davantage dans les mains de quelques-uns, tandis que la grande majorité de la nation s'appauvrit toujours davantage. Il surgit alors un antagonisme de plus en plus tranchant entre quelques riches, d'un côté, et d'innombrables pauvres, de l'autre. Cet antagonisme s'est déjà aggravé de manière menaçante en Angleterre et en France, et chez nous aussi il revêt chaque jour davantage d'acuité. Mais tant que l'on maintiendra l'actuelle base de la société, il sera impossible de mettre un frein à ce progrès de l'enrichissement de quelques individus et de la paupérisation de la grande masse. L'antagonisme se fera de plus en plus aigu, jusqu'à ce que cette tension même forcera la société à se réorganiser selon des principes plus rationnels.

Messieurs, ce ne sont là pourtant pas encore toutes les conséquences de la libre concurrence. Comme chacun produit et consomme pour son compte propre, sans se soucier beaucoup de la production et de la consommation des autres, il faut nécessairement que surgisse très rapidement un déséquilibre criant entre production et consommation. En outre, comme l'actuelle société confie le soin de distribuer les biens produits, aux commerçants, aux spéculateurs et aux boutiquiers, dont chacun n'a en vue que son propre intérêt, le même déséquilibre surgira aussi dans la distribution des denrées — même si l'on fait abstraction de l'impossibilité pour ceux qui sont dépouillés de toute propriété de s'en procurer une partie suffisante —, et donc finalement dans la distribution des productions. A-t-on vu qu'un fabricant dispose des moyens de savoir de combien de ses produits on a besoin sur tel ou tel marché, et même s'il pouvait le savoir, combien de ses concurrents enverraient alors leurs articles vers chacun de ces marchés ? Déjà, dans la plupart des cas, il ne sait pas où iront les marchandises qu'il fabrique ; comment pourrait-il alors savoir combien de ses concurrents étrangers enverront de produits sur les marchés en question ? Il ne sait absolument rien de tout cela ; comme ses concurrents, il fabrique tout à fait à l'aveuglette et se console en pensant que les autres doivent en faire autant. Il n'a d'autre point de repère que le niveau toujours changeant des prix. Pour ce qui concerne les marchés lointains vers lesquels il expédie ses marchandises, ce prix a déjà considérablement varié entre le moment où son informateur lui a envoyé une lettre renfermant ces données et celui où la marchandise est expédiée, voire arrive sur le marché. En l'absence d'une régulation quelconque de la production, il est tout naturel aussi qu'à chaque instant il se produise des engorgements dans la circulation, et ceux-ci doivent être d'autant plus importants que l'industrie est plus avancée. C'est l'Angleterre qui offre donc sur ce plan les exemples les plus frappants. En raison de l'extension et du caractère élaboré de la circulation, ainsi que des nombreux spéculateurs et entremetteurs qui se glissent entre le fabricant de l'industrie et les consommateurs réels, il est encore plus difficile aux industriels anglais qu'aux allemands de savoir quoi que ce soit sur le rapport qui existe entre les stocks et la production, d'une part, et la consommation, d'autre part. Le fabricant doit approvisionner presque tous les marchés du monde, mais ne sait pratiquement jamais où aboutit sa marchandise. C'est pourquoi, étant donné la capacité de production gigantesque de l'industrie anglaise, tous les marchés se trouvent subitement sursaturés. La circulation se bloque, les fabriques ne travaillent plus qu'à mi-temps ou pas du tout, il s'ensuit une série de faillites, les stocks doivent être liquidés à vil prix, et une grande partie du capital accumulé à grand-peine est de nouveau perdu à la suite d'une telle crise commerciale. En Angleterre, nous avons eu, depuis le début de ce siècle, toute une série de ces crises commerciales, et au cours des dernières vingt années nous en avons eu une tous les cinq ou six ans. Les dernières — celles de 1837 et de 1842 — sont encore clairement inscrites dans la mémoire de la plupart d'entre vous. Et même si notre industrie était aussi grandiose et ses débouchés aussi largement ramifiés que ceux de l'industrie et du commerce de l'Angleterre, nous assisterions aux mêmes résultats, alors qu'aujourd'hui, chez nous, l'effet de la concurrence dans l'industrie et dans la circulation se fait sentir par une dépression générale et continuelle de toutes les branches d'activité, par un misérable état moyen entre épanouissement douteux et déclin total, par une situation d'engorgement modéré, c'est-à-dire de stabilité.

Messieurs, quelle est la véritable raison de ces maux et de ces déséquilibres ? D'où provient la ruine de la classe moyenne, le brutal antagonisme entre riches et pauvres, l'engorgement du marché et le gaspillage de capital qui s'ensuit ? Ils n'ont pas d'autre raison que l'éparpillement des intérêts. Nous travaillons tous, mais chacun pour ses propres intérêts, sans nous soucier du bien des autres. Mais n'est-ce pas une vérité manifeste et évidente que l'intérêt, le bien, le bonheur de la vie de chacun sont indissociablement liés à ceux de nos semblables. Il faut que nous reconnaissions qu'aucun de nous ne peut se passer de ses semblables, que le simple intérêt nous lie l'un à l'autre, et cependant nous contredisons cette vérité d'une manière flagrante dans nos actions, et cependant nous organisons notre société non pas comme si nos intérêts étaient les mêmes, mais comme s'ils étaient complètement opposés les uns aux autres. Nous avons vu quelles ont été les conséquences de cette erreur de fond ; si nous voulons éliminer ces graves conséquences, nous devons modifier cette erreur de fond, et tel est précisément le but du communisme.

Dans la société communiste, où les intérêts des uns ne sont plus opposés à ceux des autres, mais associés, la concurrence est éliminée. Il est évident que l'on n'y parlera plus de la ruine de certaines classes, ni même de classe en général, de riches et de pauvres comme cela se fait de nos jours. Dans la production et la distribution des biens nécessaires à la vie, on supprimera le mode privé d'acquisition et le but de l'individu particulier de s'enrichir pour son propre compte avec des moyens privés si bien que les crises de la circulation disparaîtront d'elles-mêmes. Dans la société communiste, il sera facile de connaître aussi bien la production que la consommation : dès lors que l'on connaît la quantité dont un individu en moyenne a besoin, il est aisé de calculer celle dont un certain nombre d'individus a besoin, et comme la production ne sera plus alors entre les mains de quelques appropriateurs privés, mais dans celles de la communauté et de son administration, il sera aisé de *régler la production d'après les besoins.*

Nous voyons donc que les maux essentiels de l'actuel état social disparaissent dans l'organisation communiste. Si nous entrons toutefois un peu plus dans les détails, nous trouvons que les avantages de ce système ne s'arrêtent pas là, mais vont jusqu'à l'élimination de nombre d'autres, dont nous ne mentionnerons aujourd'hui que les seuls maux de nature économique. L'actuelle structuration de la société est certainement la moins rationnelle et pratique qui puisse se concevoir. L'antagonisme des intérêts fait qu'une importante quantité de forces de travail est employée d'une manière qui ne procure aucun avantage à la société, et une partie considérable de capital est perdue tout à fait inutilement, sans se reproduire.

Il suffit d'observer les crises économiques. Nous voyons comment des masses de produits que les hommes ont eu pourtant beaucoup de peine à mettre en œuvre sont liquidées à des prix dérisoires qui occasionnent des pertes au vendeur ; nous voyons qu'à la suite de banqueroutes des masses de capitaux, qui pourtant avaient été amassés avec peine, glissent des mains de leurs détenteurs et s'évanouissent. Mais considérons de plus près la circulation telle qu'elle se pratique aujourd'hui. Par combien de mains chaque produit doit-il passer avant d'arriver entre celles du véritable consommateur ? Pensez donc, messieurs, à ces nombreux intermédiaires superflus et spéculateurs qui s'insinuent entre le producteur et le consommateur ! Illustrons ceci par un exemple : une balle de coton qui a été fabriquée en Amérique du Nord. Elle circule des mains du planteur dans celles de l'agent d'un quelconque comptoir commercial du Mississippi, et descend le fleuve jusqu'à New Orleans. Là, elle est vendue — pour la seconde fois, puisque le planteur l'a déjà cédée au comptoir — à un spéculateur par exemple, qui la revend à son tour à l'exportateur. La balle de coton est maintenant dirigée, mettons, sur Liverpool, où un avide spéculateur la rafle et se l'approprie. Celui-ci la négocie à son tour à un commissionnaire qui l'achète à crédit — disons pour une firme allemande. Dans ces conditions, la balle de coton est transportée à Rotterdam, d'où elle remonte le Rhin, passant encore entre une douzaine de mains, après avoir été une douzaine de fois déchargée, puis rechargée d'un véhicule à l'autre, et ce n'est qu'alors qu'elle arrive entre les mains, non du consommateur, mais du fabricant, qui se met en devoir de la transformer en un produit apte à servir, après avoir fait travailler son fil par un tisserand, puis avoir transporté son tissu au teinturier. Puis surviennent le grossiste et le détaillant, qui livre enfin l'article au consommateur. Et tous ces intermédiaires, spéculateurs, directeurs de comptoirs, exportateurs, commissionnaires, expéditeurs, grossistes et détaillants, qui n'ont pourtant rien à voir avec la marchandise elle-même, veulent tous vivre et faire des profits — et ils les font aussi en moyenne, car sinon ils ne pourraient pas subsister.

Messieurs, n'existe-t-il pas de chemin plus simple et plus économique pour transporter une balle de coton d'Amérique en Allemagne et faire parvenir l'article fabriqué à partir d'elle aux mains du véritable consommateur que ce détour par une dizaine de ventes compliquées, ces innombrables transbordements et voyages d'un magasin de stockage à l'autre ? N'est-ce pas là un exemple frappant de ce multiple gaspillage de forces de travail, qui est suscité par l'éparpillement des intérêts privés [2] ?

---

2. Sous une forme familière, puisqu'il s'agit d'un discours didactique, Engels aborde un problème fondamental : la circulation ou la distribution, qui fait l'objet du second livre du *Capital*. En proposant de changer le mode de circulation, Engels ne cherche pas à rationaliser simplement la circulation des *marchandises,* mais à changer tout le mode de production et d'appropriation. La circulation ou la distribution ne porte pas seulement sur le mouvement des marchandises sur le marché, mais encore sur la circulation d'une branche de production à l'autre, et à l'intérieur de chacune d'elles, c'est-à-dire de l'ordonnancement des instruments de la production.

Ce qui est déterminant dans la production, c'est la forme qu'elle revêt, c'est-à-dire sa distribution et sa circulation. Dans l'introduction des *Grundrisse* (10/18, t. 1, pp. 51-52), Marx remarquait déjà qu'un véritable économiste ne part pas, dans ses analyses, de la production (on produit aussi bien du blé sous le féodalisme, le capitalisme que le socialisme, par exemple), mais de la distribution : « On reproche essentiellement à des économistes tels que Ricardo de n'avoir en vue que la production *et de considérer la distribution comme le seul objet de l'économie.* En fait, ils sentaient instinctivement que les formes de la distribution définissent le mieux les agents de la production au sein d'une société donnée. »

C'est par le truchement de la circulation que se pose donc, par exemple, le problème crucial de la division du travail et de la concurrence qui divise les hommes en cellules individuelles antagonistes dans les sociétés de classe, en opposition à l'homme social de la société communautaire.

Par ailleurs, il ne faut pas entendre les explications d'Engels

Dans la société sensément organisée, il ne sera plus question d'une telle complication des transports. Pour nous en tenir à notre exemple, il sera tout aussi facile de déterminer de quelle quantité de coton ou de produits cotonniers telle colonie communautaire a besoin, qu'il est facile à l'administration centrale de savoir de quelle quantité ont besoin toutes les localités et communautés du pays. Une fois que l'on a dressé une telle statistique — chose facile à réaliser en un an ou deux — il suffira de modifier la moyenne de la consommation annuelle simplement en fonction de l'accroissement de la population. Il est donc aisé de prévoir, en temps voulu, quelle est la quantité de tous les multiples produits dont la population a besoin, et l'on commandera toute cette grande quantité directement à la source, sans les spéculations des intermédiaires ni les stockages et transbordements autres que ceux qu'exige la nature physique des communications : en somme, avec une grande économie de force de travail ; on n'aura plus besoin de verser un bénéfice aux spéculateurs, aux marchands de gros et de détail.

Mais ce n'est pas encore tout : de cette manière, ces spéculateurs et intermédiaires ne seront pas seulement rendus inoffensifs pour la société, mais ils lui deviendront encore utiles. Alors qu'aujourd'hui ils effectuent un travail qui est un inconvénient pour tous les autres et, dans le meilleur des cas, superflu, bien qu'il leur procure le moyen de vivre, et même très souvent de grandes richesses ; bref, alors qu'ils sont de nos jours directement préjudiciables au bien de tous, ils auront alors les mains libres pour une activité utile et pourront prendre une occupation dans laquelle ils s'avéreront non comme des membres hypocrites feignant seulement de participer à la communauté humaine, mais comme des membres actifs de celle-ci.

_____

de manière simpliste, du fait de l'exposé familier qu'il fait des problèmes de la circulation dans la société communiste : ce mode de distribution, infiniment simplifié en l'absence d'une comptabilité monétaire à tous les moments du processus social pour le compte des petites cellules individuelles, ne sera pas du tout fruste, puisqu'il devra englober la distribution à l'échelle internationale, en tenant compte de toute la richesse des besoins et de la multiplicité infinie des valeurs d'usage.

Ce discours introduit en quelque sorte la partie économique consacrée à la description des structures de la société communiste dans la conception de Marx-Engels.

L'actuelle société place chaque individu particulier en état d'hostilité contre tous les autres et engendre ainsi la guerre sociale de tous contre tous, qui revêt nécessairement chez chacun, notamment chez l'individu inculte, une forme brutale, barbare et violente — la forme délictuelle. Afin de se protéger du crime et des actes de violence publics, la société a besoin d'un immense et complexe réseau administratif et juridique, qui occupe une masse énorme de forces de travail. Dans la société communiste, celui-ci deviendrait infiniment plus simple, précisément — aussi bizarre que cela puisse sembler — parce que dans cette société l'administration n'aurait pas seulement à s'occuper de quelques aspects, mais de l'ensemble de la vie sociale dans toutes ses multiples activités, en tous sens. En abolissant l'opposition de chaque individu avec tous les autres et en substituant la paix sociale à la guerre sociale, nous mettons la hache à la racine même du crime — et, de ce fait, nous rendons superflue la plus grande, voire l'écrasante partie de l'activité actuelle des autorités administratives et judiciaires. D'ores et déjà, les crimes passionnels diminuent sans cesse par rapport aux crimes commis par calcul, par *intérêt :* les crimes contre les personnes diminuent tandis que les crimes contre la propriété augmentent [3].

La civilisation croissante tempère déjà les explosions violentes de la passion dans la société actuelle, qui se tient sur un pied de guerre, mais combien davantage encore dans la pacifique société communiste ! Les délits contre la propriété y tomberont d'eux-mêmes, puisque chacun y recevra de quoi satisfaire ses besoins physiques et intellectuels dès lors

---

3. Partant de l'analyse économique de la concurrence que tous se font les uns aux autres dans l'appareil de production et de distribution, Engels suit les prolongements de cette guerre sociale dans les superstructures de la vie civile. La société bourgeoise baigne dans une ambiance qui entretient et reproduit à une échelle toujours plus large la corruption et une psychose de canaillerie, qui nécessitent tout un appareil aux mille ramifications, du policier et juriste jusqu'aux coûteux appareils d'enregistrement et de vérification mécaniques et électroniques des comptes isolés de chaque individu dans ses multiples fonctions. La société bourgeoise la plus développée voit se multiplier à l'infini les crimes voilés et hypocrites de soustraction des biens produits par d'autres, une sorte de contrebande et de fraude, qui forment l'activité essentielle, rémunérée, des couches intermédiaires des sociétés de l'Ouest aussi bien que de l'Est.

que les hiérarchies et les différences auront cessé d'exister
La justice pénale s'éteindra d'elle-même, tout comme la
justice civile qui s'occupe presque exclusivement d'affaires
relatives à la propriété ou du moins de celles qui découlent
de l'état de guerre sociale. Les heurts ne pourront plus y
être que de rares exceptions, alors qu'aujourd'hui ils sont la
conséquence naturelle de l'inimitié universelle : ils pourront
être aisément aplanis par arbitrage.

De nos jours, les autorités administratives trouvent elles
aussi dans l'état de guerre permanent la source de leur
occupation — la police et toute l'administration ne sont
occupées à rien d'autre qu'à faire en sorte que la guerre
reste masquée et indirecte, qu'elle ne dégénère pas en violence ouverte, en crimes. Mais s'il est infiniment plus facile
de maintenir la paix que de tenir la guerre dans des limites
déterminées, il sera encore infiniment plus facile d'administrer une société communiste qu'une société de concurrence. Et si aujourd'hui déjà la civilisation a appris aux
hommes à rechercher leur intérêt tout en maintenant l'ordre,
la sécurité et la stabilité publics, donc à se passer si possible
de la police, de l'administration et de la justice [4], combien

---

4. Les statistiques modernes de la criminalité confirmeraient
sans doute cette hypothèse d'Engels : le sens général de l'évolution, non seulement de la société capitaliste, mais de l'humanité dans son ensemble tend à rendre moins fréquents les cas où
la violence s'exerce sous sa forme ouverte, avec la lutte physique, la sanction corporelle, voire les exécutions capitales. En
revanche, avec le développement des antagonismes de classe, les
causes de heurts et de violences — donc aussi la criminalité —
s'accroissent sans cesse, *mais* toute la « civilisation » tend à peser,
par la loi et la menace du gendarme, sur les masses afin que
leur violence n'éclate pas, d'où cette atmosphère lourde, sous
pression, parfois intolérable, que l'on ressent particulièrement
dans les grandes villes, où la violence éclate çà et là de manière
sauvage et brutale. Les lois ont pour effet de rendre plus fréquents les cas où la mesure autoritaire est exécutée sans résistance, l'individu ne sachant que trop bien qu'il n'a pas intérêt
à s'y soustraire. La société capitaliste moderne a une capacité
inouïe de transformer, au moyen des superstructures de
contrainte juridiques et idéologiques, la violence ouverte en violence rentrée, qui s'accumule et n'explose qu'aux moments de
crise et de guerre. Ce n'est pas par « civilisation », mais par la
terreur de quelques exemples qui figent de peur, que l'actuelle
société parvient à « rentrer » quelque peu la violence que sa base
économique et sociale ne cesse de sécréter, de plus en plus

plus le verrons-nous dans une société où la communauté des intérêts est élevée en principe fondamental, où l'intérêt public ne se distingue plus de celui de l'individu ! Ce qui se produit aujourd'hui déjà *malgré* l'organisation actuelle de la société, combien plus encore le vérifierons-nous lorsque les structures sociales ne représenteront plus autant d'entraves, mais des soutiens ! Sur ce plan aussi, nous pouvons escompter un accroissement considérable de forces productives que l'ordre social actuel de la société déduit de la production proprement dite.

L'une des institutions les plus coûteuses, dont l'actuelle société ne peut se passer, ce sont les armées permanentes, qui retirent à la nation la partie la plus vigoureuse et la plus efficace de la population et obligent une autre partie à assurer l'entretien de ceux qui sont ainsi devenus improductifs. Le budget de l'Etat de notre propre pays nous apprend ce que nous coûte l'armée permanente — vingt-quatre millions par an et le retrait de deux cent mille bras vigoureux du procès de production.

Dans la société communiste, il ne viendrait à l'esprit de personne d'entretenir une armée permanente. A quoi bon, en effet ? Pour maintenir l'ordre à l'intérieur du pays ? Comme nous venons de le dire, il ne viendrait à l'idée de personne de troubler cette paix intérieure. Si l'on craint les révolutions, c'est parce qu'on sait qu'elles sont la conséquence inévitable de l'opposition des intérêts existants. Or là où les intérêts de tous coïncident, il ne saurait être question d'une pareille crainte. Pour entreprendre une guerre d'agression ? Comment une société communiste pourrait-elle entreprendre une guerre d'agression, quand elle sait parfaitement qu'elle n'y perdrait que des hommes et du capital, alors qu'elle y gagnerait tout au plus quelques provinces réticentes, c'est-à-dire un trouble de son ordre social ! Pour engager une guerre de défense ? Pour cela elle n'a nul besoin d'armée permanente, étant donné qu'il est facile d'entraîner tout homme valide de la société, non seulement dans ses diverses occupations, mais encore dans l'art militaire, à condition qu'il s'agisse de défendre le pays et de laisser de côté les exercices de pure parade. Et pensez donc, messieurs, qu'en cas d'une guerre qui ne pourrait survenir *que*

abondamment (cf. le chapitre sur *La violence cinétique et potentielle,* in « Le marxisme et la Question militaire », *Fil du temps,* n° 10, pp. 30-34).

contre des nations anticommunistes, le membre d'une telle société aurait à défendre une *véritable* patrie, un *véritable foyer,* autrement dit il combattrait avec un enthousiasme, une ténacité et un courage face auxquels le dressage mécanique d'une armée moderne volerait en mille éclats. Pensez donc aux miracles réalisés par l'enthousiasme des armées révolutionnaires de 1792 à 1799, et pourtant elles ne luttaient que pour une *illusion,* un *simulacre de patrie,* et vous devrez convenir de la force extraordinaire d'une armée qui ne se bat pas pour des illusions, mais pour une réalité tangible. Ces masses innombrables de forces de travail soustraites aujourd'hui aux peuples civilisés par les armées seraient donc rendues au travail dans une société communiste : non seulement elles produiraient autant que ce dont elles ont besoin, mais elles pourraient encore fournir aux magasins publics plus de produits que ne réclame leur entretien.

Un gaspillage encore bien pire de forces productives se vérifie dans l'actuelle société dans la façon dont les riches exploitent leur situation sociale. Je ne veux pas parler de ce luxe innombrable, parfaitement inutile et littéralement ridicule, qui trouve sa source dans l'obsession de se singulariser et exige un grand nombre de forces de travail. Messieurs, entrez donc dans la maison, le saint-des-saints d'un riche, et dites-moi si l'on n'y trouve pas le gaspillage le plus insensé de forces de travail, dès lors que quantité d'hommes sont accaparés pour servir une seule personne et son oisiveté, ou pire encore sont occupés à des tâches qui ont leur source dans l'isolement de chaque individu entre ses quatre murs [5] ?

---

5. Engels aborde maintenant la question fondamentale du gaspillage dû au fait que l'homme est condamné dans cette société à vivre comme individu privé, de manière atomistique, s'accouplant pour la reproduction des individus particuliers dans l'unité minuscule de l'organisation familiale, où toute vie sociale s'étiole, tous les efforts étant désespérément tendus à accaparer, à amasser et à pourvoir aux besoins sans fin de cette institution privée. Ce n'est pas par hasard qu'Engels en traite en même temps que du gaspillage des domestiques. En effet, le sort de la femme au foyer ne s'apparente-t-il pas tout à fait à ces tâches serviles ? Sous les louanges ampoulées et rhétoriques de ce type de société par familles se cache l'un des esclavages les plus honteux — celui des travaux domestiques et de la femme au foyer. Dans les capitalismes les plus modernes — ceux qui ont remplacé les domestiques et les valets par des machines ménagères les plus sophistiquées, l'Amérique et l'Europe occi-

Toute cette multitude de domestiques, de cuisinières, de valets, de cochers, de laquais, de jardiniers et tutti quanti, que font-ils en réalité ? Tous ces gens ne sont guère occupés véritablement que *quelques instants* par jour à rendre la vie de leur patron *vraiment* agréable, à faciliter à ces messieurs dames le libre développement et l'exercice de leur nature humaine et de ses forces innées. Durant combien d'*heures* les gens sont-ils occupés uniquement à des tâches qui ont leur cause dans la méchante organisation de nos conditions sociales. Et que dire de ceux qui se tiennent derrière la voiture, sont au service des marottes de leurs patrons ou les suivent en portant des caniches et autres foutaises ridicules ? Dans une société rationnellement organisée, où chacun est mis en état de vivre sans être obligé de faire des corvées pour satisfaire les marottes des riches, ni tomber lui-même dans ces marottes — cette même force de travail, tant gaspillée aujourd'hui, pourra être utilisée à donner du luxe au profit de tous et de chacun.

Une autre dilapidation de force de travail dans l'actuelle société se produit directement sous l'effet de la concurrence, celle-ci créant une grande quantité d'ouvriers privés de pain, qui *voudraient* bien travailler, mais ne *peuvent* trouver du travail. De fait, la société n'est pas du tout organisée de façon à pouvoir s'informer de l'utilisation effective des forces de travail, étant donné qu'on laisse le soin à chacun de rechercher une nouvelle source de revenu. Dans ces conditions, il est tout à fait normal que quantité d'ouvriers se trouvent bredouilles dans la distribution de travaux utiles ou apparemment utiles. C'est d'autant plus le cas lorsque la lutte de la concurrence pousse chaque individu particulier à bander ses forces au maximum, à exploiter tous les avantages qui s'offrent à lui, et que l'on remplace des forces de travail chères par de moins chères, ce pour quoi la civilisation croissante offre chaque jour de plus en plus de moyens — ou, en d'autres termes, que chaque individu doit

---

dentale —, ces formes de dilapidation n'ont fait que se généraliser encore, de manière dégénérative en plus : on ne saurait compter les heures de travail perdues et gâchées dans ces unités « économiques » naines, qui ne permettent aucun rendement par rapport à celui que l'on obtiendrait dans des grandes entreprises, sans parler de la dilapidation de machines « ménagères » aussi perfectionnées dans des « unités économiques » d'une stérilité productive aussi consternante.

œuvrer à priver l'autre de pain, à écarter les autres du travail d'une manière ou d'une autre. Dans ces conditions, on trouve dans chaque société civilisée une grande masse de personnes en chômage, qui voudraient bien travailler, mais ne trouvent pas de travail. Or il se trouve que cette masse est plus considérable qu'on ne le croit généralement. Nous retrouvons ces gens, en effet, pour partie, en train de se *prostituer* d'une manière ou d'une autre, à mendier, à balayer les rues, à traîner aux coins des rues, à maintenir en vie leur corps et leur esprit avec mille peines en s'adonnant à de petits travaux et services occasionnels, à trafiquer et à proposer de porte en porte tous les petits articles possibles et imaginables — ou, comme nous l'avons vu ce soir, des pauvres filles vont d'un local à l'autre avec leur instrument de musique, jouant et chantant pour de l'argent, contraintes de se laisser injurier par le premier venu, simplement afin de gagner quelques sous. Enfin, combien y en a-t-il qui sont tombés dans la prostitution pure et simple ! Messieurs, le nombre des sans-pain à qui il ne reste plus d'autre solution que de se prostituer d'une façon ou d'une autre est très grand — notre administration des pauvres pourrait en témoigner.

Et n'oubliez pas que la société nourrit tout de même, d'une façon ou d'une autre, ces gens, bien qu'elle les traite en inutiles. Ainsi donc, si la société devait subvenir à leur entretien, elle devrait se préoccuper aussi de ce que ces chômeurs gagnent *dignement* leur subsistance. Mais cela notre société de concurrence ne le *peut* pas [6].

Messieurs, si vous admettez tout cela — et je pourrais vous fournir encore toute une série d'exemples sur la manière dont l'actuelle société gaspille ses forces de travail —, vous reconnaîtrez que la société humaine dispose d'une surabondance de forces de travail qui n'attendent qu'une organisation rationnelle et une distribution cohérente pour se mettre en activité à l'avantage de tous. Messieurs, vous pouvez juger d'après cela combien peu justifiée est la crainte selon laquelle une juste répartition de l'activité sociale pourrait avoir pour effet qu'une charge de travail telle

---

6. Engels, en bon marxiste, dénonce les horreurs du chômage et refuse les licenciements en reprenant le fier mot d'ordre, lancé dans la bataille sanglante par les ouvriers insurgés de Lyon : « Mourir en combattant ou vivre en travaillant ! »

incomberait à chaque individu qu'il serait dans l'impossibilité de se dédier à autre chose. Tout au contraire, nous pouvons supposer qu'avec une telle organisation l'horaire de travail en vigueur actuellement pour chacun pourrait d'ores et déjà être réduit de moitié, ne serait-ce qu'en utilisant les forces de travail qui demeurent inemployées ou sont appliquées de manière improductive.

Cependant, les avantages offerts par l'organisation communiste du fait de *l'utilisation des forces de travail gaspillées,* ces avantages ne sont *pas encore les plus considérables.* La plus grande économie de forces de travail réside dans l'*association des forces individuelles,* transformées ainsi en force sociale collective, et dans l'organisation reposant sur cette concentration de forces qui s'opposaient auparavant les unes aux autres. Sur ce point je m'associe aux propositions du socialiste anglais *Robert Owen,* parce qu'elles sont les plus pratiques et en même temps les plus élaborées. A la place des actuels villages et villes avec leurs maisons d'habitation en ordre opposé et dispersé, Owen propose la construction de grands palais, édifiés sur un carré d'environ 1 650 pieds de large, incluant un grand jardin et pouvant héberger commodément de deux à trois mille personnes [7]. Il est évident qu'un tel édifice, bien qu'il offre à ses occupants le confort des meilleurs logements actuels, est moins cher et plus facile à construire que les habitations individuelles, conçues par l'actuel système pour un nombre équivalent de personnes et construites le plus souvent bien plus mal. Les nombreuses pièces qui, dans presque toute maison convenable, restent vides ou ne sont occupées qu'une ou deux fois l'an peuvent être supprimées sans le moindre inconvénient. De même, l'économie de place sera importante, dès lors que

_____

7. La vieille objection de l'anticommunisme, c'est que nous voulons réduire la société à une caserne. Or le domicile privé n'a-t-il pas évolué finalement lui-même précisément vers la caserne ? Avec Owen, Engels ironise sur le temps et le travail perdus dans l'approvisionnement privé de deux ou trois mille parcelles représentées par autant de personnes à nourrir et à vêtir séparément. L'homme moderne crétinisé par deux siècles de capitalisme croit, à la suite du bourrage de crâne de la télévision, du cinéma, de la radio et de la presse quotidienne ou hebdomadaire, que traîner dans les magasins, puis stationner dans les cuisines privées, représente le *plaisir suprême de la vie humaine,* tandis qu'à l'Est et ailleurs, bien souvent, on fait la queue devant les magasins, comme prémisses à ces délices !

l'on n'aura plus besoin des garde-manger, des caves et autres pièces de réserve.

Considérons cependant le détail de l'ordre ménager de cet immeuble. Nous constaterons à l'évidence alors les avantages de la communauté. Quelle quantité de travail et de matière première ne gaspille-t-on pas dans l'actuelle économie des ménages éparpillés — dans le chauffage, par exemple ! Il nous faut pour chaque pièce un poêle distinct. Or il faut charger chaque poêle à part, le maintenir en état de marche, le surveiller. Il faut amener le combustible à tous ces différents endroits, puis retirer les cendres. Ne serait-il pas plus simple et moins coûteux, et de beaucoup, de mettre à la place de ces chauffages éparpillés un magnifique chauffage collectif, par exemple avec une tuyauterie pour la vapeur et un seul centre de chauffe — comme cela se pratique déjà dans les grands locaux à usage collectif, les fabriques, les églises, etc.

Prenons aussi l'exemple de l'éclairage au gaz. Celui-ci est encore cher actuellement parce que des tubes relativement minces doivent eux aussi être posés en terre. A cause de l'immense surface qui doit être éclairée dans nos villes, ces tubes atteignent une longueur démesurée, alors que dans l'installation proposée par Owen tout est concentré sur un carré de 1 650 pieds ; le nombre de flammes du gaz à brûler étant tout aussi grand, le résultat en est donc au moins aussi intéressant que dans une ville de taille moyenne.

Considérons ensuite la préparation des repas. Nous assistons à une dilapidation énorme de locaux, de produits et de forces de travail dans l'actuelle économie parcellarisée, dans laquelle chaque famille prépare ses minuscules repas, a sa vaisselle distincte, nécessite une cuisinière à demeure, doit s'approvisionner en privé au marché, dans le potager, chez le boucher, chez le boulanger ! On peut tranquillement admettre que les deux tiers des forces de travail occupées à ces tâches pourraient être économisés si l'on préparait et servait collectivement ces repas, tandis que le tiers restant pourrait servir à effectuer ces travaux avec plus de soin et d'attention que dans les conditions actuelles. Et enfin les travaux ménagers proprement dits ! Un tel immeuble ne sera-t-il pas infiniment plus facile à tenir propre et en bon état si — comme il est facile de le faire — ce genre de travail est lui aussi organisé et plus judicieusement réparti que dans les deux à trois cents maisons particulières qui, dans l'ordre actuel, fournissent un logis pour un nombre semblable d'habitants ?

Ce sont là, messieurs, quelques-uns seulement des immenses avantages qui, sur le plan économique, doivent découler de l'organisation communiste de la société humaine. Il ne nous est pas possible, en quelques heures et en quelques mots, de vous expliciter notre principe et de le motiver comme il conviendrait jusque dans tous les détails. Mais ce n'est pas là notre intention. Nous ne pouvons et ne voulons rien d'autre que d'en expliquer certains aspects, et d'inciter ceux pour qui la question est encore obscure à l'étudier. Ce que nous souhaitons, c'est pour le moins de vous avoir fait comprendre ce soir que le communisme ne heurte ni la nature humaine, ni la raison, ni le cœur, pas plus qu'il n'est une théorie qui, ne prenant aucun appui dans la réalité, aurait ses racines simplement dans l'imagination.

On nous demandera de quelle manière cette théorie peut être appliquée dans la réalité, et quelles sont les mesures que nous proposons pour en préparer l'instauration. Il existe diverses voies qui mènent à ce but : les Anglais commenceront vraisemblablement en édifiant quelques colonies et laisseront à chacun le choix d'y entrer ou non. Les Français, en revanche, prépareront et instaureront certainement le communisme à l'échelle nationale. Etant donné la nouveauté du mouvement social en Allemagne, on ne peut encore dire grand-chose sur la manière dont les Allemands s'y engageront. Pour le moment, je ne voudrais mentionner qu'un seul des nombreux moyens possibles de cette préparation, car il en a été plusieurs fois question ces derniers temps, à savoir l'application de trois mesures qui doivent nécessairement avoir pour conséquence la pratique du communisme.

La première serait l'*éducation universelle* de tous les enfants sans exception aux frais de l'Etat — une éducation qui serait égale pour tous et se poursuivrait jusqu'au moment où l'individu serait en mesure de se comporter et d'agir en membre autonome de la société. Cette mesure ne serait qu'un acte de justice vis-à-vis de nos frères privés de moyens, étant donné que tout homme possède un droit évident au développement complet de ses capacités, et la société commet une double infraction contre les individus lorsqu'elle fait de l'ignorance une conséquence nécessaire de la pauvreté. Il est évident que la société tire un plus grand avantage de membres instruits que de membres ignorants et frustes, et si un prolétariat instruit — comme il faut alors s'y attendre — n'est pas disposé à rester dans la situation d'infériorité dans laquelle se trouve notre actuel prolétariat, on peut s'attendre cependant qu'une classe ouvrière *instruite* attende avec calme et sérénité la nécessaire et pacifique transformation de la société. Mais il saute aux yeux que le prolétariat *inculte* n'a pas davantage envie de demeurer dans la situation qui lui est faite, et c'est ce que les récentes émeutes de Silésie et de Bohême démontrent pour l'Allemagne — pour ne pas parler des autres peuples.

La seconde mesure serait une *réorganisation totale du système de l'assistance publique*. Il conviendrait que tous les citoyens privés de pain soient installés dans des colonies, dans lesquelles ils seraient employés à des activités agricoles et industrielles, leur travail étant organisé à l'avantage de l'ensemble de la colonie [8]. Jusqu'ici on a prêté à intérêt les capitaux de l'administration de l'assistance publique, donnant ainsi aux riches des moyens supplémentaires d'exploiter ceux qui sont dépouillés de toute propriété. Qu'on laisse donc pour une fois ces capitaux travailler véritablement à l'avantage des pauvres, et que l'on utilise pour les pauvres tout le produit rendu par ces capitaux, et pas seulement les trois pour cent d'intérêt, donnant ainsi un magnifique exemple de l'association du capital et du travail ! Dans ces conditions, la force de travail de tous ceux qui sont privés de pain serait employée à l'avantage de la société ; de pauvres démoralisés et diminués on ferait des hommes moraux, indépendants et actifs, et on les mettrait en état de se manifester très rapidement sous un jour enviable pour les travailleurs parcellisés — et cela amorcerait une réorganisation décisive de la société.

Or, pour ces deux mesures, il faut de l'argent. Pour le rassembler et pour remplacer en même temps l'actuel système des impôts répartis injustement, on propose dans ce

---

8. Engels a exposé ses conceptions de l'organisation combinée des travaux agricoles et industriels, ainsi que sa critique du système de communautés proposé par Fourier, Saint-Simon, Proudhon, etc., dans l'article intitulé « Les Progrès de la Réforme sociale sur le continent » et publié le 4 novembre 1843 dans *The New Moral World* d'Owen.
Nous renvoyons le lecteur à ce texte très important pour notre sujet : cf. MARX-ENGELS, *Le Mouvement ouvrier français*, Petite Collection Maspero, 1974, t. I, pp. 38-52.

même plan de réforme un impôt général de caractère progressif sur le capital ; son taux augmenterait avec le volume du capital. De cette manière, la charge de l'administration publique serait supportée par chacun selon ses capacités et, contrairement à ce qui se pratique jusqu'ici dans tous les pays, elle ne retomberait pas essentiellement sur les épaules de ceux qui sont le moins en état de payer. Au fond, le principe de l'imposition est communiste [9], car le droit de lever des impôts est déduit dans tous les pays de ce que l'on appelle la propriété nationale. Or, ou bien la propriété privée est sacro-sainte et il n'existe pas de propriété nationale, et alors l'Etat n'a pas le droit de lever des impôts ; ou bien l'Etat a ce droit, et alors la propriété nationale est au-dessus de la propriété privée, et l'Etat est le véritable propriétaire. Ce dernier principe est universellement reconnu — au fond, messieurs, nous ne faisons que réclamer pour le moment que l'Etat se déclare propriétaire universel et, dès lors, administre la propriété publique pour le bien public —, et que, comme premier pas dans cette direction, il introduise un mode d'imposition qui prenne en considération la capacité de chacun de payer les impôts et le véritable bien public.

Ainsi donc, messieurs, il ne s'agit pas d'introduire la communauté des biens du jour au lendemain et contre la volonté de la nation, mais avant tout de fixer le *but*, les *voies* et les moyens grâce auxquels nous pourrons rejoindre ce but. Le principe du communisme est en toute occurrence le principe de l'avenir, comme en témoignent l'histoire du développement des nations civilisées, la dissolution croissante de toutes les actuelles institutions sociales, ainsi que la saine raison humaine et surtout le cœur humain.

---

9. C'est parfaitement exact, mais son application est capitaliste, comme le communisme égalitaire qui, selon les termes d'Engels, règne dans les casernes ou que revendiquent les capitalistes (après avoir justifié leur profit global comme rémunération de leur travail, de leurs « talents » particuliers, de leur gestion, de leur capital accumulé, en vue de se partager en parts égales le profit), sur la base de la concurrence : « Ce à quoi tend la concurrence entre les masses de capital de composition diverse fonctionnant dans les multiples branches de la production, c'est le *communisme capitaliste*, à savoir que *la masse de capital entrant dans chaque sphère de la production* s'approprie une partie aliquote de la plus-value globale en proportion de la partie du capital social global qu'elle représente. » (Cf. Marx à Engels, le 30 avril 1868.)

II

Au cours de notre dernière rencontre, on m'a reproché d'avoir étayé ma démonstration par des exemples et des documents tirés uniquement de pays étrangers, notamment d'Angleterre. On a dit que la France et l'Angleterre ne nous regardaient pas, que nous vivions en Allemagne et que notre tâche est de démontrer que le communisme est une nécessité et un avantage pour l'Allemagne. En même temps, on nous a reproché de n'avoir pas démontré de manière satisfaisante la nécessité historique du communisme en général. Cela est d'ailleurs parfaitement juste, mais il n'était pas possible de faire autrement dans un premier exposé. En effet, une nécessité historique ne peut être démontrée aussi prestement que l'équivalence de deux triangles ; elle ne peut l'être que par l'étude et l'approfondissement de lointaines prémisses. Quoi qu'il en soit, je ferai mon possible pour répondre aux objections que l'on m'a adressées, et je m'efforcerai de démontrer que pour l'*Allemagne,* le communisme s'il n'était une nécessité historique, est une *nécessité économique*.

Considérons en premier lieu l'actuelle situation sociale de l'Allemagne. On sait que la pauvreté est grande chez nous. La Silésie et la Bohême l'ont montré à suffisance. La *Gazette rhénane* a beaucoup parlé de la misère des régions de la Moselle et de l'Eifel [10]. Il règne depuis des temps immémoriaux et constamment une grande misère dans l'*Erzgebirge.* La Senne et les districts liniers de Westphalie ne sont pas mieux lotis. Dans toutes les régions de l'Allemagne, on se lamente, et on ne peut s'attendre à autre chose d'ailleurs. Notre prolétariat est nombreux et doit l'être — comme nous le constatons même en observant superficiellement notre situation sociale.

Il est dans la nature des choses qu'il y ait un prolétariat nombreux dans les *districts industriels.* L'industrie ne peut exister sans un grand nombre d'ouvriers qui sont à sa disposition complète, qui travaillent uniquement pour elle et renoncent à tout autre gagne-pain ; car un emploi dans l'industrie rend impossible toute autre occupation, étant donné le développement de la concurrence. C'est pourquoi, dans tous les districts industriels, on trouve un prolétariat,

---

10. Cf. l'article de MARX, « Justification du correspondant ** de la Moselle », (janvier 1843), in *La Gazette rhénane,* dont il était le rédacteur le plus en vue.

qui est trop nombreux et trop manifeste pour qu'on puisse nier son existence. Cependant, on affirme de tous côtés qu'il n'existe pas de prolétariat dans les *districts agricoles*. Mais comment donc serait-ce possible ? Dans les régions où prédomine la grande propriété foncière, il faut un tel prolétariat ; les grands domaines ont besoin d'ouvriers et d'ouvrières agricoles et ne peuvent exister sans prolétaires. Dans les régions où la propriété foncière est divisée en parcelles, il n'est pas possible non plus d'éviter la naissance d'une classe d'individus ne possédant rien : on divise les fonds de terre jusqu'à un certain degré, puis il n'y a plus rien à diviser. Lorsqu'à la fin un seul des membres de la famille suffit à occuper la parcelle, les autres doivent tout bonnement se transformer en prolétaires, en ouvriers ne possédant rien. Alors, la division a, en général, atteint le point où le lopin est trop minuscule pour nourrir une famille, et il se forme alors une classe de gens qui, comme la petite classe moyenne des villes, fait transition entre la classe possédante et celle qui ne dispose plus d'aucune propriété, de personnes que la propriété retient de chercher du travail ailleurs, mais qui tout de même n'en ont pas assez pour vivre. Il règne aussi une grande misère dans cette classe.

Que ce prolétariat doive continuellement augmenter de nombre, c'est ce que montre la paupérisation croissante de la classe moyenne, dont j'ai parlé de manière détaillée il y a huit jours, et la tendance du capital à se concentrer en quelques mains. Je n'ai certes pas besoin de revenir aujourd'hui sur ces points ; j'observerai simplement que les causes qui engendrent et multiplient sans cesse le prolétariat, resteront les mêmes et auront les mêmes effets aussi longtemps qu'existera la concurrence. Dans ces conditions, le prolétariat ne doit pas seulement continuer à exister, mais encore s'étendra toujours plus ; il doit même devenir une puissance toujours plus menaçante de notre société, s'il nous faut continuer de produire chacun pour son propre compte et en opposition à tous les autres. Cependant le prolétariat parviendra un jour à un niveau de puissance et d'intelligence tel qu'il ne tolérera pas de supporter plus longtemps la charge de tout l'édifice social qui pèse sur ses épaules, et revendiquera une répartition proportionnée des charges et des avantages sociaux, et alors — si la nature humaine n'a pas changé jusque-là — il ne sera pas possible d'éviter la révolution sociale.

C'est là une question que nos économistes n'ont pas abordée jusqu'ici. Ils ne se préoccupent pas tant de la répartition que de la production de la richesse nationale. Nous voulons cependant pour un instant faire abstraction du fait que — comme nous venons tout juste de le montrer — une révolution sociale est en général la conséquence de la concurrence ; nous nous bornerons à observer les diverses formes particulières sous lesquelles apparaît la concurrence, ainsi que les multiples perspectives économiques qui se présentent à l'Allemagne, et nous verrons quel doit en être l'effet dans chaque cas.

L'Allemagne — ou, plus exactement, l'Union douanière allemande [11] — pratique pour le moment un tarif douanier de juste milieu. Nos droits douaniers sont trop bas pour être véritablement protecteurs, et trop hauts pour assurer la liberté de commerce. Trois choses sont donc possibles : ou bien nous passons à la totale liberté de commerce ; ou bien nous protégeons notre industrie avec des droits douaniers appropriés, ou enfin nous conservons le système actuel. Considérons ces différents cas.

Si nous proclamons la *liberté de commerce* et supprimons nos droits douaniers, toute notre industrie — à l'exception de quelques rares secteurs — sera ruinée. Il ne sera plus question *alors* de filature de coton, de tissage mécanique, de la majeure partie des branches d'activité cotonnière et lainière, de l'importante branche de l'industrie de la soie et de la presque totalité des mines et usines de fer. Les ouvriers de tous ces secteurs, après avoir été subitement réduits au chômage, seront jetés en masse dans l'agriculture et dans les branches restantes de l'industrie ; le paupérisme jaillirait de toutes parts, la concentration de la propriété en quelques mains serait accélérée par une telle crise et, à en juger d'après les événements de Silésie, l'effet de cette crise serait inévitablement une révolution sociale.

Dans le second cas, nous nous donnons des *droits de douane protecteurs*. Ceux-ci sont devenus tout récemment les enfants chéris de la plupart de nos industriels, et méritent

---

11. L'*Union douanière (Zollverein)* était une association politique et économique unissant la Prusse à d'autres Etats allemands du Nord de l'Allemagne. Elle fut créée le 1er janvier 1834 et représenta le premier pas en direction de l'unification de l'Allemagne, en éliminant les frontières intérieures et réglant les droits douaniers par rapport à l'extérieur d'après un plan politique commun.

un examen approfondi. Monsieur *List* a organisé en un système les vœux de nos capitalistes [12] ; je m'attarderai sur ce système qui est repris un peu partout comme un credo. Monsieur List propose des droits de douane progressivement croissants, qui doivent s'élever jusqu'à ce que les fabricants se soient assurés le marché du pays ; ces droits de douane doivent ensuite demeurer au même niveau pendant un laps de temps et baisser ensuite graduellement de sorte qu'après un certain nombre d'années toute protection cesse enfin. Supposons que ce plan soit réalisé et que les droits protecteurs soient décrétés. L'industrie se réanimerait, le capital encore inactif se précipiterait vers les entreprises industrielles, la demande d'ouvriers, et donc les salaires, augmenterait, les maisons de pauvres se videraient, et ils se développerait une situation selon toute apparence florissante. Cela durera jusqu'à ce que notre industrie aura subi une extension suffisante pour couvrir le marché intérieur. Elle ne pourra pas s'étendre davantage, car si, sans protection, elle n'a pu s'affirmer sur le marché *intérieur,* elle ne pourra réussir à tenir tête à la concurrence étrangère sur les marchés neutres. A ce point, estime Monsieur List, l'industrie serait déjà assez forte pour avoir moins besoin de protection, et l'abaissement des droits douaniers pourrait s'amorcer. Concédons-le un instant. Les droits de douane sont abaissés. Si ce n'est à la première réduction des tarifs douaniers, ce sera à la seconde ou à la troisième, que la protection sera abaissée jusqu'à permettre que l'industrie étrangère — mettons carrément l'industrie anglaise — concurrence la nôtre sur le marché allemand. C'est exactement ce que souhaite Monsieur List lui-même. Mais quelles en seront les conséquences ? A partir de ce moment, l'industrie allemande devrait supporter toutes les oscillations, toutes les crises de l'industrie anglaise. A peine les marchés d'outre-mer seraient-ils saturés de marchandises anglaises — comme cela se passe précisément à l'heure actuelle et comme Monsieur List le décrit avec beaucoup d'émotion —, les Anglais déverseraient tous leurs stocks sur le marché allemand, le plus proche de ceux auxquels ils ont un accès, et ils feraient une fois de plus des pays de l'Union douanière alle-

---

12. Friedrich List a exposé ses idées protectionnistes dans l'ouvrage intitulé *Das nationale System der politischen Oko-nomie,* Stuttgart-Tubingen, 1841. Marx en a fait une critique, restée longtemps inédite.

mande leur « magasin de bric-à-brac ». Ensuite l'industrie anglaise sortirait de sa léthargie, parce que son marché est le monde entier et que le monde entier ne peut se passer de l'industrie anglaise, alors que l'industrie allemande n'est même pas indispensable au marché de son pays et doit redouter dans sa propre maison la concurrence des Anglais, en souffrant de la surabondance des marchandises que ceux-ci jettent à la tête de leurs clients durant la crise. Dès lors, notre industrie devrait supporter jusque dans ses dernières conséquences les périodes sombres de l'industrie anglaise, alors qu'elle ne pourrait prendre qu'une part modeste à ses périodes de splendeur : en somme, nous nous retrouverions exactement au point où nous en sommes aujourd'hui. Et, pour arriver tout de suite au résultat final, nous aurions le même état de dépression que celui dans lequel nous nous trouvons aujourd'hui dans les secteurs jouissant d'une demi-protection. Alors ce serait la fermeture d'un établissement après l'autre, sans qu'il en surgisse de nouveaux ; nos machines vieilliraient sans que nous fussions en mesure de les remplacer par de nouvelles, meilleures ; la stagnation se transformerait en régression et, selon les affirmations de Monsieur List lui-même, les secteurs industriels déclineraient l'un après l'autre et à la fin cesseraient leur activité. Cependant nous aurions un prolétariat nombreux que l'industrie aurait créé et qui n'aurait pas de moyens de subsistance, ni de travail — et ce prolétariat, messieurs, exigerait de la classe possédante du travail et de quoi manger.

C'est ce qui arriverait si l'on baissait les droits protecteurs. Or donc, supposons qu'ils ne soient pas baissés, qu'ils restent les mêmes, et que l'on veuille attendre pour le faire que la concurrence interne des fabricants du pays les ait rendus illusoires. La conséquence en serait que l'industrie allemande stagnerait dès qu'elle serait parvenue à approvisionner totalement le marché interne. De nouveaux établissements ne seraient pas nécessaires, puisque ceux qui existent déjà suffisent pour le marché existant et — comme nous l'avons dit — on ne peut penser à de nouveaux marchés tant que l'on a besoin de protection. Or une industrie qui n'est pas en *expansion* perpétuelle ne peut pas non plus *se perfectionner*. Elle serait stationnaire vers l'extérieur comme vers l'intérieur. Pour elle, il n'y aurait pas d'amélioration des machines : on ne peut, certes, jeter à la ferraille les vieilles machines, et pour les nouvelles il n'y a pas d'établissements nouveaux où elles pourraient trouver emploi. Dans l'intervalle, d'autres nations progresseraient, et la stagnation de notre industrie deviendrait de surplus une régression. Bientôt les Anglais seraient en mesure, grâce à leurs progrès, de produire si bon marché qu'ils pourraient concurrencer l'Allemagne sur son propre marché *en dépit* des droits de douane protecteurs, et étant donné que, dans la lutte de la concurrence comme dans tout autre lutte, le plus fort l'emporte, nous pouvons être certains de notre défaite finale. Alors se vérifierait l'hypothèse que nous avons évoquée plus haut : le prolétariat artificiellement produit exigerait des possédants quelque chose qu'ils ne pourraient donner tant qu'ils resteraient propriétaires exclusifs — et c'est la révolution sociale.

Il est resté un cas maintenant, tout à fait improbable, au reste, à savoir que les Allemands parviennent au moyen de droits douaniers protecteurs à hausser leur industrie au niveau auquel ils pourraient faire concurrence aux Anglais sans protection. Supposons que ce cas se réalise ; quelles en seraient les conséquences ? A peine aurions-nous commencé à faire concurrence aux Anglais sur les marchés extérieurs, neutres, qu'il y aurait lutte à mort entre notre industrie et celle des Anglais. Ceux-ci emploieraient toute leur énergie pour nous tenir à l'écart des marchés jusqu'alors approvisionnés par eux : ils seraient obligés de le faire, car ils seraient attaqués à la source même de leur vie, à leur point le plus sensible. Et avec tous les moyens dont ils disposent, avec tous les avantages que leur donne leur industrie séculaire, ils réussiraient à nous battre. Ils contraindraient notre industrie à demeurer cantonnée dans les limites de notre marché et elle devrait y stagner, alors se vérifierait le même fait que celui que nous avons exposé plus haut : nous piétinerions, les Anglais progresseraient, et notre industrie, étant donné son inévitable décadence, ne serait pas en mesure de nourrir le prolétariat qu'elle aurait artificiellement suscité — et c'est la révolution sociale [13].

---

13. Alors que les utopistes font purement et simplement abstraction du développement réel de l'économie qui conduit vers le communisme, Engels ne manque jamais, même dans ce simple plaidoyer, de s'appuyer sur l'évolution concrète de la société des pays déterminés. C'est à partir du même schéma qu'il analysera, par exemple, les mesures économiques prises par l'Allemagne officielle après son unité en 1871, afin de se pro-

Cependant, admettons que nous battions les Anglais même sur les marchés neutres et que nous nous emparions de leurs débouchés l'un après l'autre, qu'est-ce que nous aurions gagné dans ce cas pratiquement impossible ? Dans le cas le plus heureux, nous referions encore une fois la carrière industrielle que l'Angleterre à faite avant nous... pour arriver là où l'Angleterre se trouve elle-même à présent — à la veille d'une révolution sociale. Mais, selon toute probabilité, cela ne durerait pas jusque-là. Les continuelles victoires de l'industrie allemande auraient inévitablement ruiné l'anglaise et ne feraient qu'accélérer en Angleterre l'imminent soulèvement massif du prolétariat contre les classes possédantes [14]. Le rapide développement du chômage pousserait les ouvriers anglais à la révolution et — étant donné l'état de choses actuel — celle-ci aurait des répercussions considérables sur les pays du continent, notamment sur la France et l'Allemagne, où elles seraient d'autant plus violentes que serait plus nombreux le prolétariat artificiel produit par le forcing de l'industrie allemande. Une telle révolution deviendrait immédiatement européenne et viendrait tirer brutalement nos fabricants de leur rêve d'un monopole industriel de l'Allemagne.

Au reste, il est exclu que l'industrie anglaise et allemande puissent coexister pacifiquement, du simple fait de l'existence de la concurrence. Toute industrie, pour ne pas se faire dépasser et succomber, est obligée — je le répète — de progresser. Or, pour progresser, il lui faut s'agrandir,

---

curer une place sur le marché mondial : cf. MARX-ENGELS, « Le Socialisme de Monsieur Bismarck », in *La Social-démocratie allemande,* 10/18. En raisonnant à partir des lois historiques de l'économie bourgeoise, Engels dresse à l'avance un sombre tableau des possibilités industrielles de l'Allemagne : concurrence accrue sur le marché mondial avec la perspective d'une guerre impérialiste (à moins d'une révolution sociale) au moment où l'industrie allemande dépassera le niveau de sa concurrente anglaise (en 1914).

14. Le prolétariat anglais devait se soulever le 10 avril 1848, mais fut battu par des forces très supérieures en armes et en nombre. Si le prolétariat anglais ne repartit pas à l'assaut, c'est que « la révolution de février 1848 élimina ensuite la concurrence industrielle du continent » et l'industrie anglaise prit un essor inouï et ne fut plus inquiétée durant toute la crise qui traîna jusqu'en 1850 sur le continent. Cf. MARX, « Revue janvier-février 1850 », in *Ecrits militaires,* L'Herne, 1970, pp. 282-283.

conquérir de nouveaux marchés, s'agrandir continuellement grâce à la création de nouveaux établissements. Etant donné que, depuis l'ouverture de la Chine, il n'est plus possible de conquérir de nouveaux marchés, mais simplement d'exploiter mieux ceux qui existent déjà, et qu'en conséquence l'expansion de l'industrie procédera plus lentement à l'avenir que par le passé, l'Angleterre ne peut, aujourd'hui bien moins qu'hier encore, tolérer de concurrent. Pour éviter le déclin de sa propre industrie, elle serait contrainte d'écraser l'industrie de tous les autres pays. Le maintien du monopole industriel est pour l'Angleterre non seulement une question de gains plus ou moins grands, c'est devenu encore pour elle une *question vitale*. La lutte de concurrence entre nations est déjà, de toute façon, beaucoup plus âpre et décisive que celle qui se déroule entre individus, parce que c'est une lutte *concentrée,* une lutte de masse à laquelle seule une victoire décisive de l'une des parties — et une défaite décisive de l'autre — peuvent mettre un terme. C'est pourquoi une telle lutte entre nous et les Anglais, quel qu'en soit le résultat, ne serait avantageuse ni pour nos industriels, ni pour les industriels anglais ; tout ce qu'elle produirait, c'est — comme je l'ai tout juste démontré — une révolution sociale [15].

Nous avons donc vu, messieurs, ce que l'Allemagne peut attendre, en toute occurrence, de la liberté de commerce aussi bien que du protectionnisme. Il ne nous resterait donc plus qu'une seule perspective économique, à savoir que nous en restions aux droits douaniers de caractère juste milieu qui existent aujourd'hui. Mais nous avons déjà vu plus haut quelles en seraient les conséquences : notre industrie finirait par aller à la ruine, secteur après secteur ; les ouvriers perdraient leur emploi et, quand le chômage aurait atteint une certaine ampleur, ce serait l'explosion d'une révolution contre les classes possédantes.

Vous voyez donc, messieurs, que ce que j'ai exposé au début de manière générale, en partant de la notion de concurrence, se trouve confirmé dans le cas particulier — à savoir que la conséquence inévitable des conditions sociales

---

15. En se basant sur la logique inflexible des lois de l'économie politique et les conclusions de longues recherches sur l'évolution du champ de forces sociales, Engels énonce à l'avance ici quel sera le cours des événements de 1848, lorsque éclatera effectivement la crise de surproduction du monde capitaliste avec son cortège de révolutions politiques et sociales.

actuelles est, en toute occurrence, une *révolution sociale*[16]. Avec la même certitude que nous pouvons déduire à partir de principes mathématiques un théorème nouveau, avec la même certitude nous pouvons conclure à partir des conditions économiques existantes et des principes de l'économie politique qu'une révolution sociale est imminente. Mais considérons d'un peu plus près cette révolution. Sous quelle forme surgira-t-elle, quels en seront les résultats, en quoi se distinguera-t-elle des révolutions violentes qui se sont produites jusqu'ici ? Une révolution sociale, messieurs, est quelque chose de tout à fait différent des précédentes révolutions politiques. Contrairement à celles-ci, elle n'est pas dirigée contre la propriété du monopole, mais contre le monopole de la propriété ; une révolution sociale, messieurs, est une *guerre ouverte des pauvres contre les riches*. Un tel combat met à nu tous les ressorts et toutes les causes du conflit et manifeste ouvertement leurs effets, qui sont demeurés obscurs et cachés dans les tréfonds lors de tous les conflits historiques du passé. Un tel combat menace cependant d'être plus violent et plus sanglant que tous les précédents. Le résultat peut en être double. Ou bien le parti subversif ne se saisit que de l'apparence et non de l'essence, de la forme et non de la chose elle-même, ou bien il s'attaque au contenu et touche le mal à la racine. Dans le premier cas, on laissera subsister la propriété privée et on ne procédera qu'à un repartage, de sorte que les causes continueront de subsister, causes qui ont provoqué la situation présente et doivent à plus ou moins long terme reproduire une semblable situation et une nouvelle révolution. Messieurs, est-ce cependant possible ? Où trouvons-nous une révolution qui n'ait pas véritablement réalisé les prémisses dont elle est

---

16. Ce passage témoigne que les conceptions communistes d'Engels se distinguent déjà diamétralement de celles des utopistes, qui rejetaient le moyen politique, la violence de classe, pour réaliser leur société idéale. L'utopisme oppose à la société moderne un modèle fixe et imaginaire de la société future. Le marxisme, lui, analyse l'économie capitaliste, dans son développement historique, depuis sa naissance historique, lorsqu'il accroît les forces productives, jusqu'à sa dégénérescence moderne, qui se manifeste par une gigantesque dilapidation de forces productives et de matières premières (signe du développement au sein de la société moderne des forces destructives du capitalisme).

partie ? La révolution anglaise a concrétisé les principes à la fois religieux et politiques que l'opposition violente de Charles Ier avait suscités ; la bourgeoisie française, dans sa lutte contre la noblesse et l'ancienne monarchie, a conquis ce qu'elle désirait et a éliminé tous les abus qui l'avaient poussée à l'insurrection. Or le soulèvement des pauvres devrait-il s'apaiser avant que la pauvreté et ses causes aient été abolies ? Messieurs, ce n'est pas possible, cette hypothèse serait contraire à toute l'expérience historique. Ne serait-ce que le niveau de développement et de conscience des ouvriers, notamment en Angleterre et en France, ne nous permet pas de la tenir pour possible. Il ne reste donc que l'autre terme de l'alternative, à savoir que la future révolution sociale s'en prendra aux véritables causes de la misère et de la pauvreté, de l'ignorance et de la criminalité, et qu'elle entreprendra donc une véritable réforme de la société. Or cela ne peut se produire que si l'on proclame le principe communiste. Messieurs, considérez simplement les pensées qui agitent les ouvriers dans les pays où les ouvriers pensent eux aussi ; voyez donc en France : les multiples fractions du mouvement ouvrier ne sont-elles pas *toutes* communistes ? Allez en Angleterre et écoutez les propositions que font les ouvriers pour améliorer leur situation : ne reposent-elles pas toutes sur le principe de la propriété commune ? Examinez les différents systèmes de réforme de la société : y en a-t-il qui ne soient pas communistes ? De tous les systèmes qui ont de nos jours encore une importance, le seul qui ne soit pas communiste est celui de Fourier, qui a tourné son attention davantage sur l'organisation sociale de l'activité humaine que sur la distribution de ses produits. Tous ces faits autorisent la conclusion, selon laquelle une future révolution sociale devra aboutir à l'application du principe communiste et n'admettra pas d'autre solution.

Si ces déductions sont justes, messieurs, la révolution sociale et le communisme pratique sont le résultat nécessaire des conditions dans lesquelles nous vivons actuellement. Nous devons donc nous préoccuper avant tout des mesures, grâce auxquelles nous pouvons prévenir un bouleversement violent et sanglant des rapports sociaux. Pour cela, il n'existe qu'*un seul* moyen, à savoir l'instauration pacifique ou du moins la préparation du communisme. Ainsi donc, si nous ne voulons pas de solution *sanglante* du problème social, si nous ne voulons pas que l'antagonisme tous les jours croissant entre l'éducation et la condition de vie des prolétaires atteigne un paroxysme, où, d'après toutes nos expériences, le désespoir et le besoin de vengeance résoudront cet antagonisme, alors, messieurs, nous devons nous préoccuper sérieusement et objectivement de la question sociale ; nous devons avoir à cœur de contribuer pour notre part à humaniser la situation des modernes îlotes. Et s'il semblait à certains d'entre vous que la promotion des classes jusqu'ici appauvries et humiliées ne saurait s'effectuer sans un abaissement de leurs propres conditions de vie, ils devraient penser qu'il s'agit de créer *pour tous les hommes* un mode de vie tel que tout un chacun puisse développer librement sa nature humaine, qu'il puisse vivre avec les autres dans des conditions et des rapports humains, sans avoir à craindre d'ébranlements violents de ses propres conditions de vie. En outre, il faut considérer que ce que l'individu particulier a à sacrifier n'est pas une jouissance véritablement humaine de la vie, mais simplement un simulacre de jouissance engendré par les piètres conditions de notre vie actuelle, bref de quelque chose contre quoi s'opposent la propre raison et le propre cœur de ceux qui ont joui jusqu'ici de ces avantages illusoires. La vie véritablement humaine avec toutes ses conditions et tous ses besoins, nous ne voulons nullement les détruire, mais au contraire nous désirons les réaliser dans les faits. Et même, si vous faites abstraction de tout cela, pensez donc sérieusement aux conséquences qui découlent de notre situation actuelle, dans quel labyrinthe de contradictions et de désordres nous sommes conduits — alors, messieurs, vous estimerez qu'il vaut vraiment la peine de s'atteler à fond et avec sérieux à la question sociale. Et si j'ai pu vous y inciter, alors j'aurai pleinement atteint le but de mon discours.

Progression rapide du communisme en Allemagne

Depuis que je vous ai écrit la dernière fois, la cause du communisme a fait les mêmes progrès rapides que vers la fin de l'année 1844 [17]. Tout récemment j'ai visité différentes

17. ENGELS, « Progression rapide du communisme en Allemagne » (III), in *The New Moral World*, 8 mars 1845. Engels y évoque les conditions pratiques dans lesquelles furent défendus, par les méthodes marxistes, les principes communistes, proposés à la réunion d'Elberfeld.

villes de Rhénanie et j'ai observé partout que, depuis ma dernière visite dans la région, nos idées ont gagné du terrain et continuent chaque jour d'en gagner. Partout j'ai rencontré de nouveaux partisans, qui manifestent, discutent et propagent l'idée du communisme avec toute l'énergie voulue. Dans toutes les villes de Prusse, on a organisé de très nombreuses réunions et manifestations, dans le but de constituer des associations qui œuvrent contre la paupérisation, l'ignorance et la criminalité croissantes dans les grandes masses de la population. Ces réunions, tout d'abord soutenues par le gouvernement, furent entravées par lui dès qu'elles prirent un caractère plus indépendant. Elles n'orientèrent pas moins l'attention du public sur la question sociale et contribuèrent grandement à la diffusion de nos principes. L'assemblée de Cologne fut à ce point impressionnée par les discours des dirigeants communistes qu'un comité fut élu pour élaborer les statuts de l'association dont la majorité est formée de communistes convaincus. L'essentiel des statuts repose évidemment sur des principes communistes. Les articles sur l'organisation du travail, la protection des travailleurs contre la puissance du capital, etc., furent adoptés à la quasi-unanimité par l'assemblée. L'autorisation gouvernementale qui, dans notre pays, est indispensable pour toutes les associations ne fut pas accordée, naturellement. Mais comme ces réunions avaient tout de même eu lieu, la question du collectivisme vint tout de même en discussion dans tout Cologne. A Elberfeld, on proclama le principe fondamental de l'association, à savoir que *tous les hommes avaient le même droit à l'éducation et devaient participer aux fruits de la science ;* ces statuts ne sont cependant pas encore ratifiés par le gouvernement, ils subiront selon toute vraisemblance le même sort que les statuts de Cologne, étant donné que les curés ont fondé leur propre association dès que l'assemblée eut repoussé leur plan, à savoir : faire de l'association une sous-section de la mission paroissiale. L'association libérale sera interdite par le gouvernement, qui soutient l'association des curés. Cependant cela ne signifie pas grand-chose, étant donné que la question, dès lors qu'elle a été soulevée une fois, fait maintenant l'objet de la discussion de tous dans la ville entière. D'autres sociétés ont été formées à Munster, Clèves, Dusseldorf, etc., et il faut attendre avec quel résultat [18].

18. A propos de l'activité politique et militante d'Engels durant

En ce qui concerne la littérature communiste, on a publié un recueil composé par Hermann Püttmann de Cologne. On y trouve, entre autres, un compte rendu sur les communautés américaines ainsi que votre établissement (owénite) dans le Hampshire, ce qui a fortement contribué à détruire les préjugés selon lesquels nos idées seraient impraticables [19]. En même temps, Monsieur Püttmann a publié le programme d'une revue trimestrielle [20] dont il entend sortir le premier numéro en mai prochain et qui sera dédiée exclusivement à la diffusion de nos idées. Monsieur Hess de Cologne et Engels de Barmen s'attachent à publier un autre mensuel [21], dont le premier numéro sera publié le premier avril prochain. Ce périodique ne rapportera que des *faits*,

---

cette période, cf. MARX-ENGELS, *Le Parti de classe*, Petite Collection Maspero, 1973, t. I, pp. 92-96.

19. Ce recueil s'intitule *Deutsches Bürgerbuch für 1845* (Darmstadt). Il renfermait un certain nombre de contributions de socialistes « vrais » ainsi que des articles de révolutionnaires tels que F.W. Wolff et Georg Weerth. L'article d'Engels que nous reproduisons ci-après *(Description de colonies communistes surgies ces derniers temps et encore existantes)* y parut également ; il s'appuyait sur des données publiées dans *The New Moral World*, *The Northern Star* et *The Morning Chronicle*. L'année suivante, le *Deutsche Bürgerbuch für 1846* (Mannheim, été 1846) renfermait le commentaire et la traduction d'un *Fragment de Fourier sur le commerce* que nous reproduisons également dans notre recueil.

20. Il s'agit des *Rheinische Jahrbücher zur gesellschaftlichen Reform*, publiés par H. Püttmann. Il en parut deux numéros, le premier en août 1845 à Darmstadt, le second à la fin de 1846 à Belle-Vue près de Constance, à la frontière germano-suisse. Le premier renfermait les deux *Discours d'Elberfeld* d'Engels, et le second la *Fête des nations à Londres* du même Engels (pour commémorer l'instauration de la République française le 22 septembre 1792). Marx-Engels soumirent ces annales à une vive critique dans *L'Idéologie allemande* (1845-46) dans le chapitre consacré aux « socialistes vrais », cf. notamment le chapitre I : « Les Annales rhénanes ou la philosophie du socialisme vrai » (Ed. sociales, 1968, pp. 497-533).

21. Il s'agit du *Gesellschaftsspiegel*, « organe destiné à représenter les classes populaires dépossédées et éclairer les conditions sociales contemporaines ». Il en parut 12 cahiers de 1845 à 1846. Engels, qui avait participé aux préparatifs de cette publication, ne put y collaborer, la revue paraissant à Elberfeld sous la direction de Moses Hess qui publia surtout des textes du « socialisme vrai ».

qui décriront les conditions de la société civilisée et proclameront la nécessité d'une réforme radicale par l'éloquence des faits. Sous peu paraîtra un nouvel ouvrage du Dr Marx, dans lequel seront réexaminés les principes de l'économie politique et de la politique en général [22]. Le Dr Marx a été contraint par le gouvernement conservateur français à abandonner son domicile de Paris. Il pense aller en Belgique, et si la vengeance du gouvernement prussien (qui a incité les ministres français à expulser Marx) le poursuivra là encore, il devra se réfugier en Angleterre. Mais le fait le plus significatif qui soit est celui que j'ai rapporté dans ma dernière correspondance : le Dr Feuerbach, le plus éminent génie philosophique vivant aujourd'hui en Allemagne, s'est déclaré communiste. L'un de nos amis vient de lui rendre visite dans son coin retiré de campagne dans une région perdue de Bavière : il lui déclara que le communisme était simplement la conséquence nécessaire des principes qu'il avait proclamés et que le communisme n'était en fait que la *pratique* de ce qu'il avait énoncé depuis longtemps au niveau théorique. Feuerbach ajouta qu'il n'avait jamais eu autant de joie à un livre qu'au premier tome des *Garanties* de

---

22. Engels fait allusion aux deux volumes que Marx s'était proposé d'écrire sur la *Critique de la politique et de l'économie* pour lesquels il avait signé un contrat avec l'éditeur Leske, le 1er février 1845. Depuis la fin de 1843, Marx s'était adonné à l'étude de l'économie politique, et il nous reste de ce projet les *Manuscrits économiques et politiques de 1844*. Marx interrompit ce travail pour écrire avec Engels *La Sainte Famille*, et ce n'est qu'en décembre 1844 qu'il reprit ses travaux économiques. Riazanov a publié de nombreux extraits d'ouvrages d'économie politique lus et commentés par Marx durant cette seconde période. Cette fois-ci encore, Marx fut détourné de son projet. Il s'en explique dans sa lettre à son éditeur Leske du 1er août 1846 : « Il m'a semblé très important de *publier d'abord* un ouvrage polémique contre la philosophie allemande et contre le *socialisme allemand* qui s'y rattache, avant d'aborder des développements *positifs*. Il est, en effet, nécessaire de préparer le public à comprendre le point de vue de mon économie politique, qui s'oppose diamétralement à la science allemande en honneur jusqu'ici. »

Dans sa lettre à Leske, Marx faisait allusion à *L'Idéologie allemande* lorsqu'il évoquait son « ouvrage polémique ». Le contrat avec Leske fut annulé définitivement par ce dernier en février 1847.

Weitling [23]. Je n'ai jamais encore dédié aucun de mes livres, dit-il, mais j'ai grande envie de dédier mon prochain ouvrage à Weitling. Ainsi l'union entre la théorie allemande, dont le représentant le plus éminent est Feuerbach et les travailleurs allemands représentés par Weitling, union qui a été prédite il y a un an déjà par le Dr Marx [24], est pratiquement réalisée. Si les philosophes mettent leur pensée à notre service et si les ouvriers luttent avec nous — quelle puissance au monde pourra être assez forte pour résister à notre progression ?

L'un de vos vieux amis en Allemagne.

Description de colonies communistes surgies ces derniers temps et encore existantes

Lorsqu'on parle avec les gens de socialisme ou de communisme, il arrive très souvent qu'ils nous donnent tout à fait raison en substance et déclarent même que le communisme est une très bonne chose, « mais », disent-ils ensuite, « il sera toujours impossible de mettre quelque chose de semblable en pratique [25] ». Cette objection est si souvent faite qu'il

---

23. Les *Garantien der Harmonie und Freiheit* de Wilhelm Weitling parurent en 1842. Engels évoque l'œuvre de Weitling de manière élogieuse dans sa critique des systèmes utopistes anglais, français et allemand dans l'article intitulé « Progrès de la réforme sociale sur le continent, in *The New Moral World*, 4 novembre 1843 ; trad. fr. complète in MARX-ENGELS, *Ecrits militaires*, L'Herne, 1970, pp. 117-137.

24. Engels fait sans doute allusion au passage suivant de MARX, *Contribution à la Critique de la philosophie du droit de Hegel. Introduction* de 1844 : « La philosophie trouve dans le prolétariat ses armes *matérielles*, tout comme le prolétariat trouve dans la philosophie ses armes *théoriques*, et dès que l'éclair de la théorie aura frappé jusqu'au cœur cette masse populaire vierge, les Allemands accompliront leur émancipation sociale. » (*Ecrits militaires, op. cit.*, p. 184).

25. Cf. Engels, in *Deutsches Bürgerbuch für 1845*, pp. 326-340. Ce texte sur les réalisations pratiques des doctrinaires de la communauté des biens n'a pas seulement une valeur historique. C'est l'illustration et le point de départ des conceptions de Marx-Engels sur le but suprême de la classe ouvrière moderne, le marxisme reprenant les anticipations et réalisations des « uto-

a semblé utile et nécessaire à l'auteur de cet article de répliquer avec quelques données de fait, encore assez peu connues en Allemagne, afin d'ôter tout fondement à cette objection. En effet, le communisme — la vie et l'activité sociales en communauté de biens — n'est pas seulement possible, mais est déjà traduit en pratique dans de nombreuses colonies d'Amérique et en un lieu d'Angleterre — et ce avec le plus grand succès, comme nous allons le voir.

Au reste, si l'on considère cette objection d'un peu plus près, on s'aperçoit qu'elle se décompose en deux objections ultérieures : premièrement, qu'on ne trouvera pas d'ouvriers pour effectuer les travaux manuels les plus humbles et les plus désagréables, et deuxièmement : à partir du moment où il y aurait un même droit sur la propriété commune, les

---

pistes » qui obtiennent — au bout de tout un processus matériel de développement des forces productives et de bouleversements sociaux et politiques — une base et un cadre objectifs. Il ne faut pas se laisser illusionner par l'organisation — souvent de fortune et de circonstance — des communautés décrites par Engels. Les moyens matériels et les réalisations *techniques* ont infiniment augmenté dans *certains* pays et dans certaines régions de notre monde, et les innovations enthousiasmantes d'alors font désormais partie de l'ordinaire — et là aussi les utopistes ont anticipé ; mais ce n'est pas ce qui retient le plus l'attention d'Engels.

Pour lui, l'essentiel c'est que la communauté de biens est une forme d'organisation sociale supérieure à celle du capitalisme privé et annonce le monde humain de l'avenir. Les travaux et recherches ultérieures de Marx-Engels étayeront leur conception du communisme. Il règne aujourd'hui une immense équivoque sur les rapports entre marxisme et utopisme, et celle-ci a surgi avec le réformisme de la Seconde Internationale, contre lequel Lénine avait déjà réagi avec force, mais qui a repris de plus belle avec le honteux opportunisme des faux partis communistes et socialistes d'aujourd'hui. Pour ceux-ci, la famille et la patrie sont éternelles, alors que le marxisme a toujours enseigné que l'économie privée avec les individus privés s'organisait, d'une part, en petits groupes de famille minuscules, et d'autre part, à l'échelle nationale, en patrie, Etat. Ces deux formes de micro — et macro — organisations reposent en dernière analyse sur la propriété privée individuelle, et ne peuvent être surmontées que par la constitution de communautés humaines, dont parlent aussi bien les utopistes que les marxistes (cf. les textes suivants de ce recueil). La fonction de substituer aux rapports capitalistes une organisation humaine revient essentiellement aux communautés de biens collectifs.

gens se disputeraient pour entrer en possession d'un bien à eux, et la communauté se dissoudrait.

La première objection se résoud tout simplement comme suit : s'ils sont effectués en communauté, ces travaux cessent d'être bas ; et puis on peut pratiquement les éliminer complètement en perfectionnant les installations améliorées, les machines, etc. Par exemple, dans un grand hôtel de New York, on nettoie les chaussures à la vapeur ; et dans la communauté communiste de Harmony en Angleterre (dont nous parlerons plus loin), les toilettes *(water closets)*, non seulement sont balayées automatiquement — selon les traditions anglaises de confort —, mais sont encore pourvues de tuyaux qui transportent directement les excréments dans un grand réservoir d'engrais.

En ce qui concerne la seconde objection, il se trouve que jusqu'ici toutes les colonies communistes sont devenues si riches au bout de dix ou quinze ans, qu'elles ont de tout au-delà de ce que l'on peut désirer consommer, autrement dit, elles n'ont pas le moindre motif de dispute.

Le lecteur découvrira que la plupart des communautés que nous allons décrire plus loin ont été établies par toutes sortes de sectes religieuses, qui généralement nourrissent les conceptions les plus déraisonnables et les plus absurdes sur les divers sujets. Aussi me bornerai-je à faire observer simplement que leurs idées n'ont absolument rien à voir avec le communisme. Au reste, il est parfaitement indifférent que ceux qui démontrent dans la pratique que ces communautés sont réalisables croient à *un* seul Dieu, à vingt ou à aucun. S'ils ont une religion déraisonnable, c'est un obstacle qui embarrasse la voie de la communauté, et si néanmoins celle-ci se maintient en vie, cela démontre qu'elle a encore bien d'autres possibilités chez ceux qui sont entièrement libres de telles folies. Au demeurant, les colonies les plus récentes sont presque toutes libres de sornettes religieuses quoiqu'elles soient très tolérantes ; il n'y a pratiquement personne chez les socialistes anglais qui ait de la religion et c'est ce qui fait aussi qu'elles soient si décriées et calomniées dans l'Angleterre bigote. Mais que tous ces méchants racontars ne signifient rien, c'est ce que nos adversaires eux-mêmes doivent reconnaître lorsqu'il s'agit d'apporter des preuves.

Ceux que l'on appelle les *shakers* furent les premiers qui, en Amérique et dans le monde, ont mis en œuvre une association sur la base de la communauté de biens. Ils forment une secte particulière et ont des idées religieuses très curieuses : ils ne se marient pas et en général ne tolèrent pas de commerce entre les sexes, etc. Mais cela ne nous intéresse pas. La secte des shakers est née il y a quelque soixante-dix ans. Ses fondateurs étaient de pauvres hères qui s'associaient pour vivre dans un amour fraternel et la communauté de biens, et honoraient leur Dieu à leur manière. Bien que leurs conceptions religieuses et plus encore la prohibition du mariage rebutassent beaucoup de gens, ils trouvèrent tout de même des partisans, et ils ont maintenant *dix grandes communautés,* dont chacune est forte de trois à huit cents membres. Chacune de ces communautés forme une belle cité, construite dans les règles de l'art, avec des maisons d'habitation, des fabriques, des ateliers, des édifices pour les assemblées et des greniers ; ils ont des jardins fleuristes, des potagers, des vergers, des forêts, des vignes, des prairies et des terres cultivées en surabondance ; en outre, ils ont du bétail de toutes sortes, chevaux et bœufs, moutons et cochons, de la volaille, et ce plus qu'ils n'en ont besoin et des meilleures sélections d'élevage. Leurs greniers regorgent toujours de céréales, leurs magasins sont pleins de vêtements, au point qu'un voyageur anglais qui leur rendit visite, a dit qu'il ne pouvait pas comprendre pourquoi ces gens continuaient de travailler alors qu'ils possédaient tout en surabondance ; à moins qu'ils ne travaillent que pour tuer le temps, car sinon ils n'auraient rien à faire. Parmi eux, il n'y a personne qui travaillerait contre son gré, et personne non plus qui se dépense vainement pour trouver du travail. Ils n'ont ni maisons de pauvres, ni hôpitaux, parce qu'ils n'ont pas un seul pauvre ni de malade, pas de veuves abandonnées ni d'orphelins ; ils ne connaissent pas la pénurie et n'ont pas lieu de la redouter. Dans leurs dix cités, il n'y a pas un seul gendarme, policier, juge, avocat ou soldat, pas de prison ou de bagne, et tout marche cependant bien. Les lois en vigueur dans le pays ne sont pas faites pour eux, et on pourrait tout aussi bien les abolir pour ce qui les concerne, sans créer le moindre inconvénient. En effet, ce sont les citoyens les plus paisibles, et *ils n'ont jamais fourni aux prisons le moindre délinquant.* Ils vivent — comme nous l'avons dit — dans la plus complète communauté de biens, et il n'existe pas d'argent ni de commerce entre eux. L'une de ces cités — Pleasant Hill près de Lexington dans l'État du Kentucky — a été visité l'an dernier par un voyageur anglais du nom de Finch. Celui-ci en fait la description suivante :

« Pleasant Hill se compose de nombreuses grandes et coquettes maisons d'ardoises et de pierres de construction, avec des fabriques, des ateliers, des écuries et des granges, le tout disposé dans le plus bel ordre ; c'est ce qu'il y a de mieux dans tout le Kentucky ; la terre cultivée par les shakers est facilement reconnaissable : de beaux murs de pierre l'entourent et elle est parfaitement travaillée. Dans les prés, un grand nombre de vaches et de moutons bien nourris paissent, et dans les vergers de nombreux cochons gras consomment les fruits tombés. Les shakers possèdent ici près de quatre mille arpents américains de terre, dont les trois quarts environ sont cultivés. Cette colonie fut établie en 1806 par une seule famille ; plus tard, d'autres vinrent la rejoindre et c'est ainsi qu'ils se multiplièrent ; certains apportèrent quelque argent avec eux, d'autres rien du tout. Ils ont eu à lutter contre de nombreuses difficultés, et, comme ils étaient le plus souvent très pauvres, ils durent subir de grandes privations au début. Mais, avec le zèle, l'épargne et la tempérance ils ont tout surmonté ; ils ont maintenant de tout en abondance, et ne doivent un sou à personne. Cette communauté se compose pour le moment de quelque trois mille membres, dont cinquante ou soixante enfants de moins de seize ans. Ils ne connaissent ni maîtres ni domestiques, et moins encore d'esclaves ; ils sont libres, riches et heureux. Ils ont deux écoles, l'une pour les garçons, l'autre pour les filles, dans lesquelles on enseigne la lecture, l'écriture et le calcul, ainsi que l'anglais et les principes de leur religion. On n'apprend pas les sciences aux enfants, parce qu'ils croient qu'elles ne sont pas nécessaires à la félicité. Comme ils n'admettent pas le mariage, ces communautés finiraient par dépérir si de nouveaux membres ne venaient pas les rejoindre ; mais quoique la prohibition du mariage rebute des milliers de personnes et que beaucoup de leurs meilleurs membres les quittent aussi pour cette raison, il en arrive sans cesse de nouveaux, au point que leur nombre augmente sans cesse. Ils pratiquent l'élevage du bétail, la culture des jardins et des champs ; ils produisent eux-mêmes du lin, de la laine et de la soie qu'ils filent et tissent dans leurs propres fabriques. Ce qu'ils produisent au-delà de ce qu'ils peuvent consommer, ils le vendent ou l'échangent avec leurs voisins. Ils travaillent habituellement tant qu'il fait jour. Le conseil d'administration a un bureau public, dans lequel on tient les livres et les comptes, et tout membre a le droit de vérifier ces comptes aussi souvent qu'il le désire. Ils ignorent eux-mêmes à combien se monte leur richesse, étant donné qu'ils ne tiennent pas de comptabilité de leurs biens ; il leur suffit de savoir que tout ce qu'ils ont leur appartient, puisqu'ils n'ont de dette vis-à-vis de personne. Une seule fois dans l'année, ils font les comptes de ce que leurs voisins leur doivent.

La communauté est divisée en cinq familles (sections) de quarante à quatre-vingts membres ; chaque famille a une gestion distincte et occupe une grande et belle maison ; *chacun reçoit ce dont il a besoin du dépôt général de la communauté sans avoir à payer quoi que ce soit, et ce dans la quantité qui lui est nécessaire.* Dans chaque famille il y a un diacre qui se préoccupe de lui procurer tout ce qu'il faut et qui *prévient* autant que possible les désirs de chacun. Leur habillement est dans la manière quaker, simple, net et propre ; leur nourriture est très *variée* et absolument de la *meilleure qualité.* Lorsqu'un nouveau membre se présente pour être admis, il doit — d'après les règlements — remettre à la communauté tout ce qu'il a, et il ne peut plus le réclamer, même s'il la quitte. Néanmoins, ils donnent à celui qui les quitte autant en retour que ce qu'il a apporté. Si un membre qui n'a rien apporté s'en va, il ne peut, d'après les lois, réclamer aucun dédommagement pour son travail, étant donné qu'il a été nourri et vêtu aux frais de tous dans la période où il a travaillé ; toutefois, même dans ce cas, il est d'usage de lui donner un viatique, s'il les quitte en paix.

Leur gouvernement est établi selon la coutume propre aux premiers chrétiens. Chaque communauté a deux pasteurs — une femme et un homme — qui sont pourvus de deux vicaires. Ces quatre prêtres sont à la tête de l'ensemble et décident dans tous les litiges. A son tour, chaque famille de la communauté a deux présidents, pourvus de deux vicaires, et un diacre ou administrateur. Les biens de la communauté sont gérés par un comité d'administration composé de trois membres : il surveille tout l'établissement, dirige les travaux, et entretient le commerce avec les voisins. Il ne peut vendre ni acheter un fonds de terre sans l'accord de la communauté. En plus, il y a naturellement des régisseurs et surveillants dans les diverses branches d'activité ;

mais ils ont pour règle de ne *jamais donner d'ordre à qui-conque, tous devant être convaincus par la bonté.* [26] »

Une autre colonie de shakers, à New Libanon dans l'Etat de New York, a été visitée en 1842 par un second voyageur anglais du nom de Pitkeithley. Ce monsieur Pitkeithley observa en détail toute la ville, qui compte près de huit cents habitants et à laquelle appartiennent de sept à huit mille arpents de terre ; il fit le tour de leurs ateliers, fabriques, tanneries, scieries, etc., et déclara que tous ces établissements étaient *parfaits.* Il s'émerveilla lui aussi de la richesse de ces gens, qui commencent avec rien et deviennent chaque année plus riches, et de dire : « Ils sont heureux et joyeux ; chez eux, il n'y a pas de discorde, mais, au contraire, l'amitié et l'amour règnent dans leur demeure, et dans toutes les parties de celle-ci, on trouve un ordre et une régularité sans égal. [27] »

Cela pour les shakers. Comme nous l'avons dit, ils vivent en complète communauté de biens et ont dix communautés semblables aux Etats-Unis d'Amérique.

Outre les shakers, il existe encore en Amérique d'autres colonies fondées sur la communauté de biens. Avant tout il faut mentionner ici les rappites. Rapp était un pasteur du Wurtemberg qui, en 1790, s'est séparé en même temps que toute sa communauté de l'Eglise luthérienne pour aller en Amérique en 1802, parce que le gouvernement le persécutait. Ses partisans le suivirent en 1804, et c'est ainsi qu'avec une centaine de familles il fonda une colonie en Pennsylvanie. Pour toute fortune ils avaient au total 25 000 thalers, grâce auxquels ils achetèrent de la terre et des instruments. Ils s'installèrent dans des terres vierges et dépensèrent toute leur fortune ; ils payèrent le reste au fur et à mesure. Ils se groupèrent en communauté de biens, et conclurent le pacte suivant :

1. Chacun met en commun ce qu'il a, sans prétendre à aucun avantage en retour. Dans la communauté tous sont égaux.

---

26. Cf. John FINCH, lettre V du 10 janvier 1844, publiée sous le titre de « Notes of Travel in the United States », in *The New Moral World.* Engels en reproduit le texte en traduction libre.
27. Cf. « Emigration. Where to and how to proceed. Description of the Shaker Villages, by Lawrence Litkeitly, of Huddersfield », *Northern Star,* 6 mai 1843, p. 7.

2. Les lois et prescriptions de l'association engagent tout le monde au même degré.

3. Chacun travaille uniquement pour le bien-être de toute l'association et non pour soi.

4. Quiconque abandonne la communauté n'a aucun droit à l'indemnisation de son travail, mais il reçoit en retour tout ce qu'il y a apporté ; et quiconque n'a rien apporté et part en paix et dans l'amitié reçoit un libre viatique.

5. En retour la communauté s'engage à fournir à chaque membre et sa famille les denrées nécessaires à la vie, et à apporter les soins adéquats aux malades et aux vieillards ; si les parents meurent ou s'en vont en laissant les enfants, c'est la communauté qui pourvoira à leur éducation.

Dans les premières années, lorsqu'ils défrichèrent une terre inculte et durent en outre rembourser 7 000 thalers pour les terrains, ils connurent bien sûr de durs moments. Cela rebuta certains — les plus riches — qui s'en allèrent après avoir repris leur argent, ce qui accrut considérablement les difficultés des colons. Mais la plupart supportèrent dignement ces conditions, si bien qu'en 1810, au bout de cinq ans à peine, ils réussirent à payer toutes leurs dettes. En 1815, pour diverses raisons, ils vendirent tout leur établissement et achetèrent de nouveau vingt mille arpents de terres vierges dans l'Etat de l'Indiana. Au bout de quelques années, ils y avaient déjà établi la charmante cité *New-Harmony*, après avoir défriché la plupart des terres, mis en culture des vignes, des champs de céréales, ouvert une fabrique de laine et de coton, et ils devenaient chaque jour plus riches. En 1825, ils vendirent toute leur colonie pour deux cent mille thalers à monsieur Robert Owen et partirent pour la troisième fois dans des terres vierges. Cette fois, ils s'installèrent sur la rive du grand fleuve de l'Ohio et construisirent la cité *Economy*, qui est plus grande et plus belle que toutes celles qu'ils habitèrent jusque-là. En 1831, le comte Leon arriva en Amérique avec environ trente Allemands afin de se joindre à eux. Ils accueillirent ces nouveaux arrivants avec joie ; mais le comte excita une partie des membres contre Rapp, à la suite de quoi il fut décidé dans une assemblée de tous les membres que Leon et les siens devaient s'en aller. Ceux qui restèrent payèrent aux mécontents plus de *cent mille thalers,* et avec cet argent Leon fonda une seconde colonie qui échoua cependant par suite d'une gestion malheureuse ; ses membres se dispersèrent, et le comte Leon, réduit au vagabondage, mourut peu de temps après au Texas. En revanche, la colonie de Rapp fleurit jusqu'à aujourd'hui. Le voyageur Finch nous rapporte sur sa situation actuelle :

« La ville *Economy* se compose de trois longues et larges rues, qui sont traversées par quatre rues tout aussi larges ; elle a une église, un restaurant, une fabrique de laine, de coton et de soie, un établissement pour l'élevage des vers à soie, des magasins publics de denrées à l'usage des membres et pour la vente à des étrangers, un cabinet d'histoire naturelle, des ateliers pour les métiers les plus divers, un économat et de belles et grandes maisons d'habitation pourvues d'un grand jardin pour les diverses familles. La terre cultivable, longue de deux heures de marche et large d'un quart d'heure, renferme de grands vignobles, un verger de sept cent trente arpents, outre de la terre arable et des prairies. Le nombre des colons se monte à environ quatre cent cinquante, qui tous sont bien vêtus et bien nourris, magnifiquement logés ; les gens sont joyeux, satisfaits, heureux et vertueux et depuis de longues années ils ne souffrent plus d'aucun manque.

Ils étaient eux aussi pendant une certaine période très opposés au mariage ; cependant ils se marient aujourd'hui, ont une famille et sont très désireux d'accroître le nombre de leurs membres, si des gens en accord avec eux se présentent. Leur religion est le Nouveau Testament, mais *ils n'ont pas de confession particulière et laissent chacun libre de ses opinions,* tant qu'il laisse les autres en paix et ne provoque pas de dispute à cause de ses croyances. Ils s'appellent *harmonistes.* Ils n'ont pas de pasteur appointé. Monsieur Rapp, qui a plus de quatre-vingts ans, est à la fois pasteur, régisseur et arbitre. Ils s'adonnent au plaisir de la musique ; ils donnent parfois des concerts et des soirées musicales. La récolte a été précédée d'un grand concert donné dans les champs, le jour avant mon arrivée. Dans leurs écoles, on enseigne la lecture, l'écriture, le calcul et les langues ; mais on n'enseigne pas les sciences, exactement comme chez les shakers. Ils travaillent bien plus longtemps qu'il ne le faut, surtout l'hiver et l'été, du lever au coucher du soleil. Tout le monde travaille, et ceux qui ne trouvent pas à s'occuper dans les fabriques en hiver, s'occupent du battage et de l'élevage, etc. Ils ont 75 vaches à lait, de grands troupeaux de moutons, de nombreux chevaux, cochons et volailles ; leurs importantes épargnes sont déposées chez les commerçants et agents de change, et bien qu'ils en aient perdu une partie considérable à la suite de banqueroutes à l'extérieur, ils ont encore une masse de cet *argent inutile* qui s'accroît chaque année.

Dès le début, ils s'efforcèrent de fabriquer eux-mêmes tout ce dont ils avaient besoin, afin d'acheter le moins possible chez les autres, si bien qu'ils fabriquèrent plus qu'il ne leur fallait ; plus tard, ils acquièrent un troupeau de cent moutons espagnols afin d'améliorer leur propre élevage, et ils le payèrent cinq cents thalers. Ils furent parmi les premiers en Amérique à confectionner des produits lainiers. Ils se mirent ensuite à planter des vignes, à cultiver le lin, à édifier une fabrique de coton et à pratiquer l'élevage des vers à soie et la fabrication de la soie. Mais en toutes choses, ils se préoccupèrent de se fournir eux-mêmes en abondance, avant de vendre quelque chose.

Ils vivent en familles de vingt à quarante personnes, dont chacune a sa propre gestion. Tout ce dont elle a besoin, la famille le reçoit des dépôts communs d'approvisionnement. *Il y a abondance pour tous, et ils reçoivent tout ce qu'ils désirent sans avoir à payer un sou.* S'ils ont besoin de vêtements ou de chaussures, ils vont chez le maître-tailleur, chez la couturière ou chez le cordonnier, et on leur fait ce qui est à leur goût. On distribue la viande et les autres denrées alimentaires à chaque famille selon le nombre de leurs membres, et ils ont tout *en abondance, voire en surabondance* [28]. »

Une autre colonie vivant en communauté de biens s'est établie à Zoar dans l'Etat de l'Ohio. Ces gens sont également des *séparatistes wurtembergeois* qui ont quitté l'Eglise luthérienne en même temps que Rapp et, après avoir été persécutés durant dix années par tel puis tel gouvernement, ont émigré à leur tour. Ils étaient très pauvres et ce ne fut qu'avec le secours de quakers philanthropiques de Londres et d'Amérique qu'ils purent parvenir à leurs fins. Ils arrivèrent en automne 1817 à Philadelphie sous la direction de leur pasteur *Bäumler* et achetèrent à un quaker le terrain de sept mille arpents qu'ils possèdent aujourd'hui encore. Le prix qui se monta à près de six mille thalers devait en être remboursé progressivement. Lorsqu'ils arrivèrent sur les lieux et comptèrent leur argent, ils trouvèrent qu'ils

---

28. Cf. J. FINCH, lettre VI du 17 février 1844, et lettre VII du 24 février 1844, *loc. cit.*

avaient tout juste six thalers par tête. C'était tout ; pas un sou n'était encore payé pour l'acquisition de la terre, et avec ces quelques thalers ils devaient encore acheter du blé pour les semailles, de l'outillage agricole et des denrées alimentaires jusqu'à la prochaine récolte. Ils trouvaient devant eux une forêt avec quelques maisons en bois, et ils durent commencer par défricher ; mais ils se mirent au travail avec tant d'entrain qu'ils en firent bientôt un champ cultivable, et ils construisirent dès l'année suivante un moulin à blé. *Au commencement, ils divisèrent leurs terres en petits lopins,* dont chacun était cultivé par une famille pour son propre compte et comme sa *propriété privée.* Mais ils s'aperçurent bientôt que *cela ne convenait pas,* car comme chacun ne travaillait *que pour soi,* on ne pouvait défricher assez rapidement les forêts et les rendre cultivables, ni en général s'entraider comme il fallait, si bien que nombre d'entre eux s'endettèrent et *furent en danger de devenir tout à fait pauvres.* Au bout d'un an et demi, en avril 1819, *ils s'associèrent donc en une communauté de biens,* rédigèrent une constitution et à l'unanimité choisirent le pasteur Bäumler comme directeur. A présent, ils remboursèrent toutes les dettes de leurs membres, obtinrent un délai de deux ans pour le paiement du prix de la terre et redoublèrent d'ardeur au travail après avoir combiné leurs forces. Ils s'en trouvèrent si bien que, quatre ans déjà avant le terme fixé, ils eurent payé tout le prix de la terre, et pour ce qui est du reste rapportons-nous-en au récit de deux témoins oculaires.

Un marchand américain qui se rend très fréquemment à Zoar décrit ce lieu comme un modèle parfait de propreté, d'ordre et de beauté, avec un magnifique restaurant, un palais dans lequel habite le vieux Bäumler, un joli jardin public de deux arpents avec une grande serre et de belles maisons d'élégante facture architecturale entourées de jardins. Il rapporte que les habitants s'y trouvent heureux et satisfaits, et sont zélés au travail et fort convenables. Sa description a été reproduite dans le journal de Pittsburg (Ohio), le *Pittsburg Daily Advocate and Advertiser* du 17 juillet 1843 [29].

Finch que nous avons déjà cité à plusieurs reprises déclare que cette communauté est la mieux aménagée de toutes les colonies qui en Amérique ont instauré la communauté de

---

29. Cité dans la lettre VIII, du 2 mars 1844, de J. Finch.

biens. Il dresse une longue liste de ses richesses et rapporte qu'ils ont une filature de lin et une fabrique de laine, une tannerie, des fonderies, deux moulins de blé, deux scieries, deux batteuses et quantité d'ateliers pour tous les métiers possibles. Et d'ajouter qu'il n'a pas vu de champs mieux cultivés dans toute l'Amérique.

Le *Penny-Magazin* estime la fortune des séparatistes à 170 000-180 000 thalers, qui ont été *intégralement* gagnés en vingt-cinq ans, car pour commencer, ils n'avaient rien d'autre que leurs six thalers par tête. Ils sont quelque deux cents. Ils avaient eux aussi interdit les mariages pendant une période, mais comme les rappistes, ils sont revenus sur leurs décision et se marient à présent.

Finch reproduit la constitution de ces séparatistes [30]. Voici quelle en est la substance :

Tous les fonctionnaires de l'association sont élus par tous les membres ayant vingt et un ans révolus ; ils doivent être choisis au sein même de l'association, les fonctionnaires en sont :

1. *Trois administrateurs,* dont l'un est nouvellement élu chaque année. Ils sont révocables à tout moment par l'association. Ils gèrent tous les biens de la communauté et pourvoient les membres du nécessaire en produits vitaux, logement, habillement et nourriture, selon les possibilités données par les conditions existantes et sans considération privée. Ils nomment des sous-régisseurs pour les diverses branches d'activité, arbitrent les petits conflits qui sont susceptibles de se produire et peuvent, en collaboration avec le conseil de la communauté, édicter de nouvelles prescriptions qui ne doivent cependant jamais contredire la constitution [31].

---

30. Cf. J. FINCH, lettre IX du 9 mars 1844, *loc. cit.*
31. Pour Marx-Engels, le principe de l'autorité n'est pas un mal en soi. Ils distinguent entre l'autorité — disons : *technique* ou fonctionnelle — d'une volonté qui impose une décision à une autre, ce qui est inévitable dès lors que l'on vit en société et que l'on collabore à une même grande œuvre collective et non individuelle, et l'autorité — disons *politique* — qui entraîne subordination et assujettissement, c'est-à-dire dérive d'une structure sociale de contrainte. Autrement dit, ils distinguent entre les sociétés de l'exploitation de l'homme par l'homme et celles où cette exploitation a cessé.

2. Un *directeur* qui demeure aussi longtemps en fonction qu'il possède la confiance de la communauté et dirige toutes les affaires comme fonctionnaire suprême. Il a le droit d'acheter et de vendre, de conclure les contrats, mais ne peut agir dans toutes les circonstances importantes qu'en accord avec les trois administrateurs.

3. Le *conseil de la communauté,* composé de cinq membres dont l'un quitte chaque année le conseil. Il représente le pouvoir suprême dans la communauté et édicte les lois avec le directeur et les administrateurs, surveille les autres fonctionnaires et règle les différends lorsque les parties ne sont pas satisfaites de la décision des administrateurs.

4. Le *trésorier,* élu pour quatre ans, qui est le seul parmi tous les membres et fonctionnaires à avoir le droit de garder de l'argent en dépôt.

Au reste, la constitution ordonne qu'un établissement d'éducation soit érigé, que tous les membres transfèrent pour toujours leur propriété à la communauté et ne peuvent plus la lui réclamer en retour, que les nouveaux membres ne peuvent être reçus que s'ils ont vécu un an dans la communauté et ont obtenu les voix de tous les membres en leur faveur, et que la constitution ne peut être modifiée que si les trois quarts des membres le demandent.

Ces descriptions peuvent très facilement être plus détaillées encore, car presque tous les voyageurs qui vont à l'intérieur de l'Amérique, visitent l'une ou l'autre des colonies dont nous venons de parler, et *presque tous les récits de* voyage en parlent. Or, *jamais personne* n'a été en mesure de dire du mal de ces gens, au contraire, tous n'ont pu que leur adresser des éloges ; à la rigueur ont-ils pu critiquer leurs préjugés religieux, notamment chez les shakers ; mais il est manifeste que la religion n'a rien à voir avec la doctrine de la communauté des biens. Ainsi pourrais-je mentionner les ouvrages de Miss Martineau, de Messieurs Melish et Buckingham et de nombreux autres. Mais tout est déjà dit à suffisance, et ce n'est pas nécessaire.

Les succès dont jouissent les shakers, les harmonistes et les séparatistes, ainsi que le besoin universel d'une organisation nouvelle de la société humaine et les efforts correspondants des socialistes et des communistes ont conduit beaucoup de gens en Amérique à s'attaquer à des tentatives analogues au cours de ces dernières années. Par exemple, Monsieur *Ginal,* un *prédicateur allemand* de Philadelphie, a fondé une association qui a acheté 37 000 arpents de forêts dans l'Etat de Pennsylvanie et y a édifié quatre-vingts maisons afin d'y installer quelque cinq cents colons, pour la plupart *allemands.* Ils ont une grande tannerie et une poterie, de nombreux ateliers et des magasins de provisions, et leur sort est excellent. Il saute aux yeux qu'ils vivent en communautés de biens, comme c'est le cas dans tous les exemples précédents. Un certain Monsieur *Hizby,* sidérurgiste à Pittsburg (Ohio) a édifié une communauté semblable dans sa ville natale. L'an dernier, il a acheté quelque 4 000 arpents de terre non loin de la ville et il a l'intention d'y fixer une colonie en communauté de biens.

En outre, il existe une telle colonie dans l'Etat de New York à *Skaneateles* qui fut créée au printemps 1813 avec trente membres par *J. A. Collins,* un socialiste anglais ; à *Minden* dans l'Etat du Massachusetts il existe depuis 1842 une colonie d'environ cent personnes ; il en est deux, nouvellement édifiées à *Pike Country* dans l'Etat de Pennsylvanie, une autre à *Brook Farm,* Massachusetts, où cinquante membres et quelque trente écoliers vivent sur environ 200 arpents et ont ouvert une excellente école sous la direction du pasteur unioniste *G. Ripley ;* depuis 1842, il subsiste une communauté à Northampton : sur cinq cents arpents de terre, cent vingt membres y pratiquent l'agriculture, l'élevage, le travail artisanal et l'industrie dans des scieries, des fabriques de soie et une teinturerie ; enfin, une colonie de socialistes anglais, émigrés à *Equality* près de Milwaukee dans l'Etat du *Wisconsin,* fut fondée l'an dernier par Thomas *Hunt* et elle progressa rapidement. A part cela, on a fondé tout récemment encore plusieurs communautés, mais nous manquons encore d'informations à leur sujet.

Une chose est néanmoins certaine, les Américains et surtout les travailleurs pauvres des grandes villes, New York, Philadelphie, Boston, etc., ont pris l'affaire à cœur et ont formé de nombreuses associations en vue de fonder de semblables colonies, et de nouvelles communautés sont inaugurées à tout moment. Les Américains sont lassés d'être encore les valets de quelques riches qui s'engraissent avec le travail du peuple. Du fait de l'intense activité et de la ténacité de cette nation, il est clair que la communauté de biens sera bientôt introduite dans une partie importante de leur pays.

Mais non seulement en Amérique, mais encore en Angleterre, on assiste à des tentatives de mettre en pratique la communauté des biens. Dans ce dernier pays, le philanthrope *Robert Owen* a prêché cette doctrine depuis une trentaine d'années ; il a donné toute sa grande fortune et s'est dépensé lui-même jusqu'au bout pour créer la colonie qui existe maintenant à *Harmony* dans le *Hampshire*. Après avoir fondé une société dans ce but, celle-ci a acheté un terrain de 1 200 arpents et y a édifié une communauté sur la base des propositions d'Owen. Elle compte maintenant plus de cent membres, qui vivent tous dans un grand bâtiment et jusqu'ici s'occupent essentiellement de travaux des champs. Comme elle a été organisée d'emblée sur un modèle parfait du nouvel ordre social, il lui a fallu un capital important, et jusqu'à présent deux cent mille thalers y ont déjà été placés. Une partie de cet argent a été empruntée et doit être remboursée à terme, et il en dérive de multiples difficultés. De nombreuses installations n'ont pas été achevées, faute d'argent, et n'ont donc pu devenir productives. En outre, comme les membres de la communauté ne sont pas les seuls propriétaires de l'établissement, mais sont gouvernés par la direction de la Société des socialistes à laquelle appartient l'établissement, il s'ensuivit parfois des malentendus et de l'insatisfaction. Mais malgré tout, l'affaire suit son chemin, les membres vivent ensemble en bonne intelligence et, d'après le témoignage de tous les visiteurs, ils s'entraident mutuellement et, face à toutes les difficultés, l'existence de l'établissement est tout de même assurée.

L'essentiel est que les difficultés ne naissent pas de la communauté, mais du fait que la communauté n'est pas encore entièrement réalisée. Car s'il en était ainsi, les membres n'auraient pas à utiliser tout leur gain pour payer les intérêts et rembourser les sommes empruntées, mais ils pourraient au contraire parfaire leurs installations et pratiquer une meilleure gestion et alors ils choisiraient aussi eux-mêmes leur propre administration, sans dépendre toujours de la direction de la Société.

Cette communauté a été décrite récemment par un praticien économiste qui a voyagé à travers toute l'Angleterre, afin de s'informer de l'état de l'agriculture et a publié son compte rendu sous la signature de « Quelqu'un qui a sifflé derrière la charrue » dans le *Morning Chronicle* de Londres (13 décembre 1843).

Après avoir traversé une région fort mal cultivée, couverte de champs où les mauvaises herbes l'emportaient sur le blé, il entendit parler des socialistes de Harmony pour la première fois de sa vie dans un village voisin. Une personne aisée lui raconta qu'ils cultivaient un grand domaine, et ce excellemment ; que toutes les rumeurs qui avaient été répandues étaient mensongères ; qu'il serait un grand honneur pour la paroisse si la moitié seulement de ses habitants se comportaient aussi convenablement que ces socialistes et qu'il serait souhaitable enfin que les propriétaires de domaine de la région donnent aux pauvres du travail dans la même quantité et avec les mêmes avantages qu'à ces gens. Ils avaient certes leurs conceptions propres sur la propriété, mais néanmoins ils se conduisaient fort bien et étaient un bon exemple pour toute la région. Et d'ajouter que leurs conceptions religieuses étaient différentes : les uns vont dans telle église, les autres dans telle autre, et ils ne parlent jamais de religion ou de politique avec les gens du pays. Deux personnes que j'interrogeais ensuite me répondirent qu'il n'y avait pas d'opinion religieuse déterminée parmi eux et que chacun pouvait croire en ce qu'il voulait. Nous fûmes tous consternés lorsque nous apprîmes qu'ils venaient s'installer ici, mais nous trouvons maintenant que ce sont d'excellents voisins, qu'ils donnent un bon exemple de moralité à nos gens, occupent beaucoup de pauvres, et comme ils n'essayent jamais de nous persuader de leurs idées, nous n'avons pas de raison d'être mécontents d'eux. Ils se distinguent tous par un comportement décent et ils sont bien élevés ; nul dans cette région n'a quelque chose à redire à leur conduite.

Notre journaliste a entendu la même chose d'autres sources encore, et il se rendit à Harmony. Après avoir traversé encore des champs mal cultivés, il tomba sur un champ de betteraves fort bien tenu avec une riche et belle récolte, et il dit à l'un de ses amis, un fermier des environs : si ce sont là des betteraves socialistes, cela s'annonce bien. Aussitôt après ils rencontrèrent sept cents moutons socialistes, également magnifiques, et ils arrivèrent alors devant un grand édifice, solide et de bon goût. Mais toutes les constructions n'étaient pas encore achevées : tuiles et bois de construction, murs à demi édifiés, terrain non encore creusé. Ils entrèrent, et furent accueillis avec courtoisie et amitié, et on leur fit visiter toutes les installations. Au rez-de-chaussée, il y avait un grand réfectoire et la cuisine, d'où les casseroles pleines étaient transportées par une machine dans le réfectoire, tandis que les vides étaient rapportées par le même moyen dans la cuisine. Quelques enfants montrèrent cette machine aux visiteurs : ils se distinguaient par leurs vêtements propres et nets, leur belle santé et leurs manières convenables. Les femmes de la cuisine étaient également d'un aspect très propre et convenable, et le visiteur s'ébahissait beaucoup de ce qu'elles pouvaient encore avoir une apparence aussi nette et propre parmi toutes ces casseroles encore sales, car le repas de midi venait tout juste de s'achever. La cuisine elle-même était aménagée avec un bon goût au-dessus de tout éloge, et l'architecte londonien qui l'avait faite déclara qu'à Londres même très peu de cuisines étaient aménagées aussi complètement et aussi dispendieusement, et notre visiteur de déclarer qu'il partageait entièrement cet avis. Près de la cuisine, il y avait de confortables buanderies, des salles de bain, des chambres de rangement et des pièces dans lesquelles il y avait de quoi se laver au retour du travail.

Au premier étage, il y avait une grande salle de bal, et au-dessus les chambres à coucher, le tout installé très confortablement. Le jardin, de vingt-sept arpents, était tenu dans l'ordre le meilleur, et partout on pouvait observer une grande activité. Ici on faisait des tuiles, plus loin on préparait de la chaux, et là on construisait et on ouvrait des routes. Cent arpents de blé étaient déjà semés, et on s'apprêtait à cultiver encore d'autres champs de céréales ; on aménageait un bassin pour recevoir de l'engrais liquide, tandis que l'on ramassait du terreau dans un petit bois jouxtant le domaine pour l'utiliser comme engrais ; bref, on faisait tout pour accroître le rendement de la terre.

Et notre visiteur de conclure : « Je pense que leur terre vaut en moyenne un loyer annuel de trois livres (vingt-cinq thalers) alors qu'ils ne paient que quinze shillings (cinq thalers). Ils ont fait une excellente affaire, à condition seulement de la gérer raisonnablement, et quoi que l'on pense de ces maisons sociales, il faut reconnaître qu'ils cultivent leur domaine d'une manière remarquable. »

Ajoutons encore quelques mots sur l'aménagement intérieur de cette communauté. Les membres vivent ensemble dans un grand édifice, et chacun a sa chambre à coucher particulière, qui est aménagée avec le plus grand confort ;

les travaux de la maison sont effectués en commun par une partie des femmes, ce qui économise naturellement beaucoup de frais, de temps et de peine que l'on perdrait s'il y avait de nombreux foyers plus petits, et ce grâce à quoi on se procure nombre de commodités qui ne sont même pas imaginables dans les petites économies privées. Ainsi le feu des cuisines chauffe en même temps toutes les pièces de la maison avec de l'air chaud et, au moyen d'un réseau de tuyaux, de l'eau chaude et froide est conduite dans chaque chambre ; bref, on y trouve toutes sortes de commodités et d'avantages qui ne sont possibles que dans une organisation communautaire. Les enfants sont envoyés à l'école qui est rattachée à l'établissement, et ils y reçoivent une éducation à compte commun. Les parents peuvent les voir quand ils veulent, et l'éducation est conçue pour la formation corporelle aussi bien qu'intellectuelle et même pour la vie communautaire. On ne tracasse pas les enfants avec des diatribes religieuses et théologiques, ni avec le grec et le latin ; en revanche, ils n'en apprennent que mieux la nature, leur propre corps et leurs capacités intellectuelles, et, entre les quelques heures de classe qu'on leur réclame, ils passent leurs récréations dans les champs ; la classe a lieu en plein air, comme dans les locaux clos, et le travail fait partie intégrante de l'éducation. L'enseignement de la morale se limite à l'application de ce principe : ne pas faire aux autres, ce que tu ne voudrais pas qu'on te fasse, bref, c'est la mise en pratique de l'égalité la plus parfaite et de l'amour fraternel.

L'établissement est gouverné, comme nous l'avons dit, par un président sous la direction de la Société des socialistes ; cette direction est élue chaque année par un congrès auquel chaque section de la société envoie l'un de ses membres, elle a des pleins pouvoirs illimités dans le cadre des statuts de la Société et est responsable devant le congrès. La communauté est donc gérée par des personnes qui vivent en dehors d'elle, et dans ces conditions il ne peut manquer de surgir des malentendus et des accrocs ; cependant même si l'expérience de *Harmony* devait échouer pour cette raison et les difficultés suscitées par l'argent — ce que rien ne laisse cependant présager — cela ne pourrait être qu'un argument de plus en faveur de la communauté de biens, étant donné que ces deux difficultés proviennent de ce que la communauté n'est pas encore réalisée de manière complète. Mais malgré tout cela, l'existence de l'établissement est assurée, et même si l'on n'y progresse pas aussi rapidement et aussi parfaitement, les adversaires de la communauté n'auront certainement pas la satisfaction de la voir périr.

En somme, nous voyons que la communauté des biens n'est pas du tout une impossibilité, mais au contraire que toutes ses expériences ont parfaitement réussi. Nous voyons aussi que les gens qui habitent en communauté vivent mieux en travaillant moins, qu'ils ont plus de loisir pour développer leur esprit, et sont des hommes meilleurs et plus moraux que leurs voisins qui ont conservé la propriété. Tout cela les Américains, les Anglais, les Français et les Belges, ainsi que quantité d'Allemands l'ont déjà reconnu. Dans tous les pays, il existe un certain nombre de personnes qui se préoccupent de répandre cette doctrine et ont pris parti pour la communauté [32].

Si cette affaire est importante pour tous, elle l'est de manière spéciale pour les travailleurs pauvres, qui ne possèdent rien, dépensent demain le salaire qu'ils gagnent aujourd'hui et peuvent à tout instant être privés de pain par des coups du sort imprévisibles et inévitables. Ils y trouvent la perspective d'une existence indépendante, assurée et libre des angoisses, d'une égalité de droits complète avec ceux qui peuvent aujourd'hui, grâce à leur richesse, faire des travailleurs leurs esclaves. Les travailleurs sont les plus concernés par cette question. Dans d'autres pays, les ouvriers forment le noyau du parti qui réclame la communauté des biens, et il est du devoir des ouvriers allemands aussi de prendre cette question très à cœur.

Si les ouvriers s'unissent entre eux, s'ils font preuve de solidarité et poursuivent *un même* but, ils seront infiniment plus forts que les riches. Et s'ils ont tous en vue un but aussi raisonnable et recherchent le meilleur pour tous les hommes — comme c'est le cas de la communauté de biens —, il va de soi que les meilleurs et les plus raisonnables parmi les riches se déclareront d'accord avec les

---

32. Il saute aux yeux que pour Engels les utopistes avaient fait œuvre utile *en démontrant dans les faits* la supériorité de la communauté des biens vis-à-vis de la propriété privée, cette démonstration venant appuyer leur foi pour en faire une conviction, soit, pour les ouvriers, une arme de premier ordre *dans leur combat*. C'est là l'un des côtés les plus positifs de l'utopisme aux yeux des marxistes.

ouvriers et se rangeront à leurs côtés. Il y a déjà un grand nombre de personnes aisées et cultivées dans toutes les parties de l'Allemagne qui se sont déclarées ouvertement en faveur de la communauté de biens et soutiennent les revendications du peuple sur les biens de cette terre que les riches ont confisqués à leur profit.

Société communiste des utopistes et des marxistes

« *A nos yeux, sont utopistes ceux qui séparent les formes politiques de leur fondement social et les présentent comme des dogmes abstraits et généraux. [...] Le communisme allemand est l'ennemi le plus déterminé de tout utopisme et, loin d'exclure le développement historique, il se fonde bien plutôt sur lui.* »

K. MARX, *Le Débat social sur l'Association démocratique, 12 novembre 1848.*

« *Pour faire du socialisme utopique une science, il a fallu le placer sur le terrain réel pour qu'il obtienne une base solide et irréfragable — et c'est l'œuvre de Marx.* »

F. ENGELS, *Travaux préparatoires à l'* « *Anti-Dühring* ».

Les communautés de l'avenir

La solution bourgeoise de la question du logement a fait faillite : elle a échoué du fait de l'*antagonisme entre la ville et la campagne* [1]. Et cela nous amène au cœur même de la question. Elle ne pourra être résolue que si la société est assez profondément révolutionnée pour pouvoir s'attaquer à l'abolition de cet antagonisme, poussé à l'extrême dans la société capitaliste d'aujourd'hui. Loin de pouvoir supprimer cet antagonisme, la société capitaliste le rend au contraire chaque jour plus aigu.

Les premiers socialistes utopiques modernes, Owen et Fourier, l'avaient déjà parfaitement reconnu. Dans leurs constructions modèles, l'opposition entre la ville et la campagne était déjà supprimée. Il se produit donc le contraire de ce qu'affirme M. Sax : ce n'est pas la solution de la question du logement qui résoud la question sociale, mais bien la solution de la question sociale, c'est-à-dire l'abolition du mode de production capitaliste, qui rendra possible

---

1. Cf. ENGELS, *La Question du logement*, 2ᵉ section (réédition de 1887).

Ce texte fait le point de la question des communautés bien longtemps après les textes de 1845 : que sont-elles devenues sous le capitalisme, et qu'en pense le socialisme scientifique ?

Dans cette seconde partie, nous mêlons les textes de Marx et d'Engels des différentes périodes de leur activité politique. Cependant nous nous référerons surtout à leurs écrits de jeunesse, qui se relient le plus directement aux utopistes ainsi qu'à la phase utopiste du mouvement ouvrier anglais, français et allemand. Certains ont reproché à ces textes d'être philosophiques. En fait, la « philosophie » permet au marxisme de repartir sur une synthèse, en opposition à la division des sciences bourgeoises, dont chacune prétend à des prémisses et à un « déterminisme » spécifiques. Les descriptions que donne Marx de la société communiste dans ses premières œuvres sont traitées d'humanistes, et on les oppose aux « froides » analyses ultérieures du Marx mûr, dans *Le Capital* par exemple. En fait, comme les recherches les plus récentes l'ont encore démontré, ses œuvres de jeunesse ont été précédées par un intense travail d'économiste : cf. Günther

81

de régler la question du logement[2]. Vouloir résoudre cette dernière en conservant les grandes villes modernes est une absurdité. Ces grandes villes modernes ne seront éliminées que par l'abolition du mode de production capitaliste, lorsque ce processus sera engagé. Il s'agira alors de tout autre chose que de procurer à chaque travailleur une maisonnette qui lui appartienne en propre.

Pour commencer, toute révolution sociale doit s'attaquer aux choses au point où elle les trouve et remédier d'abord

---

HEERE, *Verelendung und Proletariat bei Marx,* Droste, 1973, qui renferme une analyse intéressante des cahiers de lecture de Marx des années 1843-1845.

Toute l'opposition entre les œuvres d'un Marx jeune et d'un Marx mûr part d'une conception sénile de l'individualisme qui aboutit à une scission extrême non seulement entre les individus, mais encore au sein d'un même individu. En fait, le marxisme est une théorie de classe impersonnelle, et Marx-Engels (que l'on ne peut séparer l'un de l'autre, première victoire sur l'individualisme) se rattachent au cerveau social de leur classe, qui à leur époque déjà avait élaboré la plus grande partie de la théorie, notamment grâce aux socialistes anglais et allemands, ainsi qu'aux utopistes, que Marx cite tant de fois comme autorités scientifiques lorsqu'il aborde un point fondamental, dans *Le Capital* par exemple.

Si Marx-Engels ont pu partir d'une nouvelle synthèse générale pour aller ensuite vers les analyses de détail particulières, ils le doivent à leurs nombreux prédécesseurs si féconds de la classe travailleuse. Dans cette seconde partie du recueil, nous donnons en premier la vision dernière de la société communiste de Marx-Engels ; dans un recueil ultérieur, consacré uniquement à la vision marxiste de la société communiste, nous rassemblerons les analyses de détail de cette question.

2. Dans la seconde partie de ce recueil, nous débouchons sur les solutions générales données par le marxisme aux problèmes posés par les utopistes, et Engels renverse aussitôt, pour ce qui concerne la question des communautés, les données du problème, en lui donnant à la fois sa base historique et économique et son cadre général. Nous débouchons ainsi sur le problème de l'abolition de la division du travail dans la production et la société, c'est-à-dire à l'élimination de l'antagonisme ville et campagne, avec la formation polytechnique et le développement omnilatéral des individus, soit l'abolition de l'argent, du salariat, du capital, des rapports mercantiles et enfin des classes et de l'Etat, *après la conquête du pouvoir par la classe ouvrière et son parti.* C'est à ces conditions préalables qu'il faut revenir pour arriver au but fixé d'emblée, sans transition, par les utopistes.

aux maux les plus criants avec les moyens existants. Or nous avons déjà vu qu'on peut apporter un soulagement immédiat à la *crise* du logement, en expropriant une partie des habitations de luxe appartenant aux classes possédantes et en réquisitionnant l'autre.

Quand, par la suite, M. Sax quitte les grandes villes pour discourir longuement sur les colonies ouvrières qui doivent être édifiées *à côté* des villes, nous dépeignant toutes leurs merveilles, leurs « canalisations d'eau, leurs cuisines-buan-deries, leurs séchoirs, leurs salles de bain, etc. », avec des « jardins d'enfants, des écoles, des salles de prières (?!) et de lecture, des bibliothèques... des cafés et des brasseries, des salles de danse et de musique en tout bien, tout honneur », avec « la force-vapeur qu'une canalisation pourra amener dans toutes les maisons, permettant ainsi, dans une certaine mesure, de retransférer la production des fabriques dans l'atelier domestique » — cela ne change rien à la chose. Cette colonie, telle qu'il nous la dépeint, est empruntée directement aux socialistes Owen et Fourier par M. Huber, qui l'a complètement embourgeoisée — simplement en la dépouillant de tout ce qu'elle avait de socialiste —, de sorte qu'elle devient doublement utopique. Aucun capitaliste n'a intérêt à édifier de telles colonies, et de fait il n'en existe nulle part au monde en dehors de Guise, en France. Or celle-ci a été construite par un fouriériste, non comme une affaire rentable, mais comme expérience socialiste [3]. Pour appuyer sa manie d'échafauder des projets bourgeois, M. Sax aurait pu tout aussi bien citer la colonie communiste de *Harmony Hall,* fondée par Owen dans le Hampshire au début des années quarante et disparue depuis longtemps.

Cependant tout ce bavardage sur l'installation de colonies n'est qu'une pauvre tentative pour gagner les « hautes sphères de l'idéal ». Elle est aussitôt abandonnée, et l'on redescend allègrement sur terre. La solution la plus simple y est alors « que les patrons, les fabricants aident les ouvriers à trouver des logements qui correspondent à leurs besoins, soit qu'ils les construisent eux-mêmes, soit qu'ils incitent les ouvriers à les bâtir en mettant des terrains à

3. Et celle-ci est devenue en fin de compte, elle aussi, un simple foyer de l'exploitation ouvrière. Cf. *Le Socialiste* de Paris, année 1886. *(Note d'Engels pour l'édition de 1887.)*
Remarquons que *Le Socialiste* parle de cette expérience dans ses numéros 45 et 48 du 3 et 24 juillet 1886.

leur disposition et en avançant les capitaux pour la construction, etc. » (p. 106).

Le tumulte suscité à propos de la révolution électrotechnique est, pour Viereck qui ne comprend absolument rien à la chose, une simple occasion de faire de la réclame pour la brochure qu'il a publiée [4].

La chose est néanmoins hautement révolutionnaire. La machine à vapeur nous a appris à transformer la chaleur en mouvement mécanique mais avec l'utilisation de l'électricité, c'est la porte ouverte à toutes les formes de l'énergie : chaleur, mouvement mécanique, électricité, magnétisme, lumière, l'un pouvant être transformé, voire retransformé dans l'autre, et utilisé industriellement. Le cercle est bouclé. La dernière invention de Deprez, à savoir que le courant électrique de très haute tension peut être transporté avec des pertes d'énergie relativement minimes par de simples fils télégraphiques jusqu'à des distances impensables jusqu'ici, en étant susceptible d'être utilisé au bout — bien que la chose ne soit encore qu'en germe —, libère définitivement l'industrie de presque toutes les barrières locales, rend possible l'utilisation des forces hydrauliques tirées des coins les plus reculés ; même si elle profitera au début aux *villes,* elle finira tout de même par devenir le levier le plus puissant de l'*abolition de l'antagonisme entre ville et campagne.* Il est évident que, de ce fait aussi, les forces productives auront une extension telle qu'elles glisseront de plus en plus vite des mains de la bourgeoisie au pouvoir. Cet esprit borné de Viereck n'y voit qu'un nouvel argument pour ses chères étatisations : ce que la bourgeoisie ne peut pas, c'est Bismarck qui doit le réaliser !

Dans toute société ayant un développement naturel et spontané de la production — ce qui est le cas de la société actuelle —, ce ne sont pas les producteurs qui dominent les moyens de production, mais ceux-ci qui dominent les

---

4. Cf. Engels à Eduard Bernstein, 28 février-1ᵉʳ mars 1883.
Dans son argumentation, Engels se fonde toujours sur le développement réel de l'industrie, de la technique et des connaissances, autrement dit tient le plus grand compte des conditions matérielles existantes. Ce texte évoque irrésistiblement la formule de Lénine : « Le socialisme, c'est les soviets plus l'électrification des campagnes. »

producteurs[5]. Dans ce genre de société, tout levier nouveau de la production se transforme nécessairement en un moyen supplémentaire d'asservissement des producteurs aux moyens de production. Cela vaut surtout pour le levier de la production qui était de loin le plus puissant jusqu'à l'introduction de la grande industrie : *la division du travail*. Déjà la première grande division du travail — la séparation de la ville d'avec la campagne — avait condamné les populations campagnardes à des milliers d'années d'abêtissement, et chaque citadin à l'asservissement à son propre métier individuel. Elle détruisit les bases du développement intellectuel des uns et du développement physique des autres.

Si le paysan s'approprie la terre et le citadin son métier, le sol s'approprie tout autant le paysan et le métier l'artisan. En divisant le travail, on divise du même coup l'homme. Pour développer une seule activité, on sacrifie toutes les autres capacités physiques et intellectuelles. Cet étiolement de l'homme s'aggrave dans la mesure même où croît la division du travail, qui atteint son essor suprême dans la manufacture. Celle-ci décompose le métier en ses opérations partielles singulières et assigne chacune d'elles à un ouvrier particulier comme étant sa fonction à vie, l'enchaînant ainsi pour toute sa vie à une tâche partielle précise et à un outil déterminé. « Elle estropie le travailleur, elle fait de lui quelque chose de monstrueux en activant le développement factice de sa dextérité de détail, en sacrifiant tout un monde de dispositions et d'instincts producteurs. [...] L'individu lui-même est morcelé, métamorphosé en mécanisme automatique d'une opération exclusive[6]. » Ce mécanisme entraîné par la machine n'atteint le plus souvent sa perfection qu'en mutilant directement le corps et l'esprit de l'ouvrier. La machinerie de la grande industrie dégrade l'ouvrier au rang de machine d'abord, à celui de simple

---

5. Cf. ENGELS, *Anti-Dühring*, in *Werke*, 20, pp. 271-278.

Dans ce texte, écrit plus de quarante ans après les premières descriptions des communautés communistes, Engels réaffirme sa conception initiale sur la base de toutes ses recherches de détail ultérieures, en traitant de l'abolition des différences entre ville et campagne et en considérant le formidable progrès de l'industrie réalisé depuis l'aube du capitalisme, ainsi que l'imbrication étroite du marché de tous les pays, reliés désormais entre eux par un dense réseau de communications.

6. MARX, *Le Capital*, I (Ed. sociales, 1948, t. 2, pp. 49-50).

accessoire d'une machine ensuite. « La spécialité qui consistait à manier toute sa vie durant, un outil parcellaire devient la spécialité de servir sa vie durant une machine parcellaire. On abuse des machines pour transformer l'ouvrier dès sa plus tendre enfance en parcelle d'une machine qui fait elle-même partie d'une autre[7]. »

Or ce ne sont pas seulement les ouvriers, mais encore les classes qui exploitent directement ou indirectement les ouvriers, que la division du travail asservit à l'instrument de leur activité ; les industriels sont asservis au mécanisme de leur capital ; le bourgeois à la tête creuse est subjugué par son propre capital et sa rage de profit ; le juriste à ses concepts étriqués du droit qui le dominent comme une puissance autonome ; les « classes cultivées », en général, à une foule de préjugés locaux et de mesquineries univoques, à leur propre myopie physique et intellectuelle, à leur mutilation par une éducation taillée sur une spécialité particulière et par l'enchaînement à vie à leur spécialisation, même si celle-ci est en dernière analyse du pur farniente.

Les utopistes savaient déjà parfaitement à quoi s'en tenir sur les effets de la division du travail, de l'étiolement aussi bien de l'ouvrier que de l'activité laborieuse elle-même, réduite à la répétition mécanique, uniforme, durant toute la vie, d'un seul et même geste. Aux yeux de Fourier et d'Owen, la première condition fondamentale à l'abolition de la vieille division du travail en général est la suppression de l'antagonisme existant entre la ville et la campagne. Chez tous deux, la population doit se répartir sur tout le pays en groupes de 1 600 à 3 000 âmes ; chaque communauté habite au centre de son district un palais géant avec ménage commun. Sans doute Fourier parle-t-il, çà et là, de villes, mais celles-ci ne consistent elles-mêmes qu'en quatre ou cinq de ces palais rapprochés l'un de l'autre.

Chez tous deux, chaque membre de la société contribue aussi bien à l'agriculture qu'à l'industrie. Chez Fourier, l'industrie n'est encore représentée que par l'artisanat et la manufacture ; chez Owen, au contraire, c'est la grande industrie, et déjà il demande l'introduction de la force vapeur et du machinisme dans le travail ménager. Mais l'un et l'autre réclament déjà au sein de l'agriculture comme de

---

7. *Ibid.*, p. 104.

l'industrie la plus grande diversité possible des occupations pour chaque individu, et, en conséquence, la formation de la jeunesse à une activité technique aussi diversifiée que possible. Tous deux prônent un développement universel de l'homme grâce à une activité pratique universelle ; le charme et l'attraction que la division du travail a fait perdre au travail doit lui être restitué, d'abord en diversifiant et en abrégeant comme il convient chaque « séance » consacrée à tout travail particulier, pour reprendre l'expression de Fourier[8].

Tous deux ont largement dépassé le mode de pensée des classes exploiteuses repris par M. Dühring, qui tient l'antagonisme de la ville et de la campagne pour inévitable et inhérent à la nature des choses, prisonnier qu'il est du préjugé selon lequel en toute occurrence un certain nombre d'« existences » doivent être condamnées à produire *un seul* article, et résolu qu'il est d'éterniser le « jeu des variétés économiques » de l'homme qui différencient son mode de vie — les gens trouvant leur plaisir à manipuler telle chose et aucune autre, et étant tombés si bas qu'ils *se réjouissent* de leur propre asservissement et de leur propre unilatéralité. Par rapport à l'idée qui est à la base des fantaisies les plus extravagantes de l'« idiot » Fourier ou des idées les plus indigentes du « grossier, du plat et du mesquin » Owen, M. Dühring, encore tout asservi à la division du travail, fait figure de nain présomptueux.

En se rendant maîtresse de tous les moyens de production pour les utiliser en commun selon un plan social, la société détruit l'asservissement antérieur des hommes à leurs propres moyens de production. Il est évident que la société ne peut s'émanciper sans émanciper chaque individu. En conséquence, l'ancien mode de production doit, de toute nécessité, être bouleversé de fond en comble, et ce qui doit disparaître, c'est surtout la vieille division du travail. Il faut la remplacer par une organisation de production où, d'un côté, aucun individu ne peut se décharger sur d'autres de sa part de travail productif, condition naturelle de l'existence humaine ; où, de l'autre côté, de moyen d'asservissement, le travail productif devient moyen de libération

---

8. Cf. Charles FOURIER, *Le Nouveau Monde industriel et sociétaire, ou invention du procédé d'industrie attrayante et naturelle distribuée en séries passionnées,* in *Œuvres complètes,* Paris, 1845, t. 6, p. 273.

des hommes, en offrant à chaque individu la possibilité de développer et de mettre en œuvre dans toutes les directions l'ensemble de ses capacités physiques et intellectuelles, et où — de fardeau qu'il était — le travail devient plaisir [9].

Tout cela n'est plus aujourd'hui une fantaisie, un vœu pieux. Au niveau de développement actuel des forces productives, le simple accroissement de production déterminé par la socialisation des forces productives et l'élimination consécutive des entraves et des troubles dérivant du mode de production capitaliste, d'une part, et du gaspillage de produits et de moyens de production, d'autre part, suffisent déjà à réduire le temps de travail à une mesure qui — pour ce que l'on peut se représenter aujourd'hui — sera minime, dès lors que tout le monde participera à la production.

Il n'est pas vrai que la suppression de l'ancienne division du travail soit une revendication qui ne peut se réaliser qu'aux dépens de la productivité du travail. Au contraire. Elle est devenue une condition de la production elle-même, du fait de la grande industrie. « L'emploi des machines élimine la nécessité de *consolider* la répartition de groupes d'ouvriers aux mêmes machines, en enchaînant, comme dans les manufactures, pour toujours, le même ouvrier à la même besogne. Puisque le mouvement d'ensemble de la fabrique procède de la machine et non de l'ouvrier, un changement continuel du personnel n'amènerait donc aucune interruption dans le procès de travail... Enfin, la rapidité avec laquelle les enfants apprennent le travail à la machine élimine même la nécessité d'en faire une vocation exclusive d'une classe particulière de travailleurs [10]. »

Certes, le mode capitaliste d'utilisation du machinisme perpétue nécessairement la vieille division du travail avec

---

9. Il est peut-être difficile d'admettre aujourd'hui que le communisme supprimera toute division du travail, non seulement à l'échelle de la production sociale, mais jusqu'à celle de l'individu. En fait, c'est alors seulement que le travail physique deviendra activité belle et agréable (même s'il reste parfois dur et exige un effort violent), car le travail manuel ne sera plus humilié parce que salarié (et le plus mal payé), ni son effort déprécié pour le tenir au bas de l'échelle. De même, quand la pensée humaine aura cessé d'être vénale dans ses diverses manifestations, elle ne reculera plus devant une fusion avec le travail manuel et l'effort physique aujourd'hui considéré comme dégradant.

10. MARX, *Le Capital*, t. 2, p. 103.

ses spécialisations ossifiées, bien que celles-ci soient devenues techniquement superflues, et que le machinisme lui-
même se rebelle contre cet anachronisme. En effet, la base
technique de la grande industrie est révolutionnaire. « Grâce
aux machines, aux procédés chimiques et autres méthodes,
elle bouleverse, en même temps que la base technique de
la production, les fonctions des travailleurs et les combinaisons sociales du procès de travail. Elle ne cesse ainsi de
révolutionner la division du travail établie dans la société
en lançant sans interruption des masses de capitaux et
d'ouvriers d'une branche de production dans l'autre. La
nature de la grande industrie entraîne avec elle la *variation*
du travail, la fluidité des fonctions, la mobilité universelle
du travailleur [...]. Nous avons vu que cette *contradiction
absolue* suscite sans cesse l'holocauste des travailleurs [...]
la dilapidation la plus effrénée des forces de travail et les
destructions dérivant de l'anarchie sociale. C'est là le côté
négatif. Mais si la variation du travail ne s'impose aujour-
d'hui qu'à la façon d'une loi physique, avec les effets
destructifs aveugles d'une loi naturelle qui lorsqu'elle se
heurte à des obstacles, les brise aveuglément, la grande
industrie, avec les catastrophes mêmes qu'elle fait naître
impose la nécessité de reconnaître le travail varié et, par
conséquent, la plus grande diversité possible des multiples
aptitudes du travailleur comme une loi de la production
moderne, et il faut à tout prix que les circonstances
s'adaptent au fonctionnement normal de cette loi. La
grande industrie en fait une question de vie ou de mort.
Elle oblige la société, sous peine de mort, à remplacer cette
monstruosité qu'est une misérable population ouvrière
disponible, tenue en réserve pour les besoins changeants de
l'exploitation du capital par la disponibilité absolue de
l'homme aux changements exigés par le travail, à remplacer
l'individu entièrement développé qui sache satisfaire aux
exigences les plus diversifiées du travail en donnant, dans
ses fonctions sociales alternées, un libre essor à la diversité
de ses capacités naturelles ou acquises [11]. »

En nous ayant appris à transformer le mouvement des
molécules qui partout peut se réaliser plus ou moins en des

---

11. *Ibid.*, pp. 165-166.
Cela implique naturellement l'abolition de la propriété privée
(de groupes, de sociétés, de classes), donc un monde sans clô-
tures.

mouvements de masse à des fins techniques, la grande industrie a libéré dans une mesure notable la production industrielle des barrières locales. La force hydraulique était liée à la localité, la force de la vapeur est libre.

Si la force hydraulique est nécessairement campagnarde, la force de la vapeur n'appartient pas nécessairement à la ville [12]. C'est son utilisation capitaliste qui la concentre de façon prépondérante dans les villes et transforme les villages de fabricants en villes industrielles. Mais par là, elle sape aussi les conditions de son propre fonctionnement. La première exigence de la machine à vapeur, et l'exigence capitale de presque toutes les branches d'exploitation de la grande industrie est une eau relativement pure. Or la ville industrielle transforme toute eau en un purin puant. Toute fondamentale que soit la concentration urbaine pour la production capitaliste, il n'en reste pas moins que chaque industriel capitaliste pris à part tend toujours à abandonner les grandes villes que cette concentration a produit de toute nécessité pour exercer l'exploitation à la campagne.

On peut étudier ce processus en détail dans les districts de l'industrie textile du Lancashire et du Yorkshire : la grande industrie capitaliste y crée sans cesse de nouvelles grandes villes, du fait qu'elle fuit continuellement la ville pour aller à la campagne. On constate la même chose dans les districts de l'industrie métallurgique où des causes en partie différentes produisent les mêmes effets.

Une fois de plus, l'abolition du caractère capitaliste de l'industrie moderne est seule en mesure de mettre fin à ce nouveau cercle vicieux où elle s'enlise, cette contradiction dans laquelle elle retombe sans cesse. Seule une société qui engrène harmonieusement ses forces productives l'une dans l'autre, selon les lignes grandioses d'un plan unique, peut permettre à l'industrie de se répartir de manière ordonnée à travers tout le pays selon la distribution la plus appropriée

---

12. Les exemples que cite Engels pour justifier l'abolition de la différence entre ville et campagne, d'une part, et la suppression de la division du travail, d'autre part, sont évidemment tirés de l'état de développement atteint par l'industrie au siècle dernier. Il saute aux yeux que le développement actuel ne fait que renforcer les conclusions d'alors. L'électricité n'a fait qu'accroître les possibilités de déplacer les sources d'énergie jusqu'au fond des campagnes, ce qui permettrait d'humaniser la localisation de la production.

à son développement et au maintien, voire au développement, des autres éléments de la production.

En conséquence, l'abolition de l'antagonisme de la ville et de la campagne non seulement est possible, mais est devenue une nécessité directe de la production industrielle elle-même, comme elle est également devenue une nécessité de la production agricole et, par-dessus le marché, de l'hygiène publique. C'est seulement en faisant fusionner ville et campagne que l'on peut éliminer la pollution actuelle de l'air, de l'eau et du sol. C'est le seul moyen pour permettre aux masses qui dépérissent aujourd'hui dans les villes, d'utiliser leur fumier pour produire des plantes, et non des maladies.

Déjà l'industrie capitaliste s'est rendue relativement indépendante des barrières locales que représentaient les lieux de production de ses matières premières. L'industrie textile travaille des matières premières importées en grandes quantités. Les minerais de fer espagnols sont travaillés en Angleterre et en Allemagne, les minerais de cuivre d'Espagne et d'Amérique du Sud en Angleterre. Chaque bassin charbonnier fournit en combustible bien au-delà de ses limites une périphérie industrielle qui croît d'année en année. Sur toutes les côtes d'Europe, les machines à vapeur sont actionnées par du charbon anglais et, çà et là, allemand et belge.

Lorsqu'elle sera libérée des entraves de la production capitaliste, la société pourra aller bien plus loin encore. En produisant une race de producteurs formés dans toutes les branches du travail et s'étant assimilé les bases scientifiques de toute la production industrielle, dont chacun aura parcouru dans la pratique toute la série de branches productives d'un bout à l'autre, elle suscite une nouvelle force productive qui compensera très largement le travail exigé pour le transport à grandes distances des matières premières ou des combustibles.

L'abolition de la coupure entre ville et campagne n'est donc pas une utopie, même au sens où elle a pour condition la distribution la plus égale possible de la grande industrie à travers tout le pays. Sans doute la civilisation nous a-t-elle laissé, avec les grandes villes, un lourd héritage qu'il faudra beaucoup de temps et de peine pour éliminer. Quoi qu'il en soit, il faudra les éliminer et elles le seront, même si le processus en sera très laborieux. Quel que soit le sort réservé à l'empire allemand de la nation prussienne, Bismarck peut se faire enterrer avec la fière conscience que son vœu le plus cher sera sûrement exaucé : le déclin des grandes villes.

Après cela, considérons l'idée puérile de M. Dühring[13] qui voudrait que la société prenne possession de l'ensemble des moyens de production, sans bouleverser les bases mêmes de l'ancien mode de production et, surtout, sans abolir l'ancienne division du travail. En effet, pour lui, tout serait réglé dès que l'on aurait simplement « tenu compte des convenances naturelles et des capacités personnelles » — ce qui n'empêche, après comme avant, que des « masses entières d'existences » demeureraient assujetties à la production d'*un seul* article et des « populations » entières attachées à une seule branche de production, l'humanité se divisant en un certain nombre de « variétés économiques » diversement mutilées, bref qu'il existerait toujours comme aujourd'hui des « terrassiers » et des « architectes ».

Si la société doit devenir maîtresse de *tous* les moyens de production, c'est selon lui pour que chaque individu demeure l'esclave de son moyen de production, son choix se bornant à fixer *quel* sera ce moyen de production. Que l'on considère, en outre, comment M. Dühring tient la séparation de la ville et de la campagne pour « inévitable de par la nature même des choses » et ne sait découvrir qu'un tout petit palliatif pour les branches — dont le binôme est spécifiquement prussien de la distillerie d'eau-de-vie et de la fabrication de sucre de betterave. Il fait dépendre la répartition de l'industrie à travers le pays d'on ne sait quelles découvertes futures et de l'*obligation* de soutenir le développement par l'approvisionnement en matières premières — matières qui, d'ores et déjà, sont consommées à une distance toujours plus grande du lieu de leur extraction ! Enfin, il s'efforce de couvrir ses arrières en assurant que les nécessités sociales imposeront en définitive la liaison de l'agriculture et de l'industrie même *contre* l'intérêt économique — comme s'il fallait faire pour cela des sacrifices économiques !

Sans doute faut-il avoir un horizon un peu plus large que le champ d'application du droit coutumier de la Prusse, où l'eau-de-vie et le sucre de betterave sont les produits indus-

---

13. Si Engels a choisi de répondre à M. Dühring, c'est que celui-ci représente, hier comme aujourd'hui, le mode banal de raisonnement et d'objection que l'on oppose, en réaliste, aux conceptions du communisme.

triels décisifs et où l'on peut étudier les crises commerciales sur le marché du livre, pour comprendre que les éléments révolutionnaires, qui élimineront l'ancienne division du travail ainsi que la séparation de la ville et de la campagne, sont déjà contenus en germe dans les conditions de production de la grande industrie moderne, et que c'est le mode de production capitaliste qui entrave leur épanouissement. Pour cela, il faut connaître la véritable grande industrie dans son histoire passée comme sa réalité présente, spécialement dans le pays qui est sa patrie et où elle atteint son développement le plus classique. Dès lors on ne peut plus songer à édulcorer le socialisme scientifique moderne, et à le dégrader au niveau du *socialisme spécifiquement prussien* de M. Dühring.

Abolition de la différence entre ville et campagne

La plus grande division entre le travail physique et intellectuel est la séparation des villes de la campagne [14]. L'antagonisme entre ville et campagne commence lors du passage de la barbarie à la civilisation, de l'organisation tribale à l'Etat, du localisme à la nation, et elle se poursuit dans toute l'histoire de la civilisation jusqu'à nos jours (cf. la ligue anticéréalière) [15].

La ville implique en même temps la nécessité de l'administration, de la police, des impôts, etc., bref de l'organisation municipale et donc de la politique en général. C'est là où se

---

14. Cf. MARX-ENGELS, *Die Deutsche Ideologie*, in *Werke*, 3, p. 50.
Les communautés de quelques milliers d'habitants, unissant production et consommation, travail physique et travail intellectuel, sont seules en mesure d'abolir la néfaste division entre ville et campagne, cette plaie de la civilisation capitaliste, en répartissant de manière la plus égale possible la population humaine dans les zones habitables.
15. Marx illustre ici l'opposition entre ville et campagne à partir de sa base économique et sociale, avec l'antagonisme des propriétaires fonciers et des capitalistes industriels. La loi anticéréalière de 1848 devait fixer en fin de compte le niveau du prix des céréales, autrement dit décider si la plus-value devait se répartir à l'avantage des classes dominantes des campagnes ou de celles des villes.

manifesta d'abord la division de la population en deux grandes classes, division reposant directement sur la division du travail et des instruments de production. La ville implique d'emblée le fait de la concentration de la population, des instruments de la production, du capital, des jouissances, des besoins, alors que la campagne illustre précisément le fait inverse, l'isolement et la particularisation. L'antagonisme entre ville et campagne ne peut exister que dans le régime de la propriété. C'est la manifestation la plus brutale de l'assujettissement de l'individu à la division du travail, à une activité déterminée qui lui est imposée. Cet assujettissement fait de l'un une bête des villes bornée, et de l'autre une bête bornée des campagnes, et reproduit chaque jour l'antagonisme de l'intérêt de l'un et de l'autre. Le travail est déterminant ici pour l'essentiel, c'est la puissance qui domine les individus, et tant qu'il en sera ainsi, la propriété privée existera nécessairement. L'abolition de l'antagonisme entre ville et campagne est l'une des premières conditions de la communauté. Or, cette condition dépend à son tour de quantité de conditions matérielles préalables que la simple bonne volonté ne peut accomplir — comme on le voit au premier regard. Ces conditions doivent d'abord être développées dans la réalité.

Il faut considérer aussi la séparation entre ville et campagne comme la dissociation du capital d'avec la propriété foncière, comme le début d'une existence et d'un développement capitalistes indépendants de la propriété foncière, autrement dit d'une forme de propriété ayant sa base sur le travail salarié et les échanges mercantiles.

Avec la prépondérance toujours croissante de la population des villes et son agglomération dans de grands centres [16], la production capitaliste, d'une part, accumule la force motrice accumulée au cours de l'histoire dans la société, d'autre part, détruit non seulement la santé phy-

---

16. Cf. Marx, *Le Capital*, I, in *Werke*, 23, pp. 528-529.
Dans ce passage, Marx analyse les raisons que nous appellerions aujourd'hui d'écologie, qui réclament impérieusement un rapport rationnel entre la ville et la campagne, donc de la distribution des humains et de leur production sur la surface de la terre. C'est en même temps le problème des rapports entre industrie et agriculture, que seule une société organisée sur la base communautaire est en mesure de régler rationnellement.

sique des ouvriers urbains et la vie intellectuelle des travailleurs campagnards [17], mais trouble encore les échanges organiques entre l'homme et la nature, en rendant de plus en plus difficile la restitution de ses éléments de fertilité, des ingrédients chimiques qui lui sont enlevés et usés sous forme d'aliments, de vêtements. Or, en bouleversant les conditions dans lesquelles une société arriérée accomplit presque spontanément ces échanges, elle force de les rétablir d'une manière systématique, sous une forme appropriée au développement humain intégral et comme loi régulatrice de la production sociale.

Dans l'agriculture comme dans la manufacture, la transformation capitaliste de la production se manifeste comme le martyrologue du producteur en même temps que le moyen de travail n'est que le moyen d'assujettissement, d'exploitation et de paupérisation du travailleur, et la combinaison sociale des procès de travail que l'oppression organisée de la vie, de la liberté et de l'indépendance de l'individu. La dissémination des travailleurs agricoles sur de très grandes surfaces brise leur force de résistance tandis que la concentration augmente celle des travailleurs urbains. Dans l'agriculture moderne, tout comme dans l'industrie des villes, l'accroissement de productivité et le rendement supérieur du travail s'achètent au prix de la destruction et du tarissement de la force de travail.

Tout progrès de l'agriculture capitaliste est un progrès non seulement dans l'art d'exploiter le travailleur, mais encore dans l'art de dépouiller le sol, chaque progrès dans l'art d'accroître sa fertilité pour un temps étant un progrès dans la ruine de ses ressources durables de fertilité. Plus un pays — les Etats-Unis d'Amérique du Nord, par exemple — se développe sur la base de la grande industrie, plus ce procès de destruction s'accomplit rapidement. La

---

17. « Vous divisez le peuple en deux camps hostiles, l'un de rustres et de balourds, l'autre de nains émasculés. Bon Dieu ! une nation divisée en intérêts agricoles et en intérêts industriels, qui prétend être dans son bon sens, bien mieux, qui va jusqu'à se proclamer éclairée et civilisée non pas en dépit, mais à cause de cette division monstrueuse, antinaturelle ! » (David URQUHART, *Familiar Words*, p. 119). Ce passage montre à la fois le côté fort et faible d'un genre de critique qui sait, si l'on veut, juger et condamner le présent, mais non le comprendre. (Note de Marx.)

production capitaliste ne développe donc la technique et la combinaison du procès de production sociale qu'en épuisant à la fois les deux sources d'où jaillit toute richesse : la *terre* et le *travailleur*.

Terre et nature

La propriété du sol, source originelle de toutes les richesses, est devenue le grand problème. De sa solution dépend l'avenir de la classe ouvrière [18].

Nous ne voulons pas discuter ici tous les arguments avancés par les défenseurs de la propriété privée du sol (juristes, philosophes et économistes), mais retiendrons simplement qu'ils masquent le *fait originel* de la conquête sous le voile du « droit naturel ». Si la conquête a créé un droit naturel pour quelques-uns, il suffit alors simplement à ceux qui sont le plus grand nombre de rassembler assez de force pour acquérir le droit naturel de reconquérir ce qui leur a été enlevé.

---

18. Cf. MARX, *A propos de la nationalisation de la terre*. Ce texte de 1869 regroupe les remarques concrètes que Marx se proposait d'incorporer à une étude destinée à la Première Internationale sur la nationalisation de la terre. La vision de Marx s'oppose essentiellement au plan réactionnaire des proudhoniens qui voulaient partager le capital et la terre en autant de parcelles que de bras. Cette parcellarisation est réactionnaire, lorsque le capitalisme est instauré, puisque celui-ci tend déjà à socialiser les moyens de production en opposition à la forme privée de l'appropriation.

Ce texte a été rédigé par Marx à la demande d'Applegarth, membre anglais du Conseil général de l'Internationale, en vue du congrès de Bâle : cf. *Fil du temps*, n° 7, sur les programmes agraires français et le problème de la propriété agraire dans le marxisme, pp. 121-170.

Avec ce texte, nous passons aux analyses concrètes de Marx et au programme du parti révolutionnaire du prolétariat dans la phase qui suit la conquête politique du pouvoir. Il est évident que la question de la terre est celle-là même de la nature, c'est dire son importance fondamentale. Aujourd'hui le capital domine et exploite la nature tout entière, d'où les ravages qui se déroulent sous nos yeux, ravages qui sont pires en temps de paix qu'en temps de guerre, si l'on peut dire.

Au cours de l'histoire, les conquérants s'efforcent, au moyen de lois qu'ils ont imposées eux-mêmes, de donner une sorte de sanction sociale à leur droit de possession issu originellement de la violence. Enfin le philosophe vient déclarer que ces lois jouissent de l'accord universel de la société. Si la propriété privée du sol était vraiment fondée sur un tel consentement universel, elle serait manifestement abolie dès l'instant où elle ne serait plus reconnue par la majeure partie de la société.

Cependant si nous laissons de côté les prétendus « droits » de propriété, nous constatons que le développement économique de la société, l'augmentation et la concentration de la population, les exigences du travail collectif et organisé, ainsi que de la machinerie et d'autres inventions font de la nationalisation du sol une « nécessité sociale » contre laquelle aucun bavardage sur les droits de propriété ne peut rien [19].

Tôt ou tard, les changements dictés par la nécessité sociale se fraieront leur chemin ; lorsqu'ils sont devenus pour la société un besoin impérieux, ils doivent être réalisés, et la législation est toujours obligée de s'y adapter.

Ce dont nous avons besoin, c'est un accroissement continu de la production. Or ces exigences ne peuvent être satisfaites, s'il est permis à un petit nombre d'individus de régler la production à leur gré ou d'épuiser les ressources du sol par ignorance. Toutes les méthodes modernes, telles que l'irrigation, le drainage, la charrue à vapeur, les procédés chimiques, doivent enfin entrer en application dans l'agri-

---

19. Dans chaque texte, il faut tenir présente toute la pensée de Marx. En l'occurrence, il faut relier ici la nationalisation de la propriété foncière au but final de l'abolition de toute propriété, lorsque disparaît *tout sujet de la propriété* (individu privé, groupe de producteurs associés, Etat, nation et même — comme nous le verrons — société). C'est ce que renferme déjà la formule utopiste qui nie toute propriété privée. Autrement dit, la propriété n'est qu'une forme transitoire dans l'histoire de la société humaine et elle est appelée à disparaître dans le communisme. En ce sens, le terme de *propriété* ne se conçoit qu'avec l'épithète *privée*. Pour la terre, c'est d'autant plus évident qu'une clôture cerne le domaine qu'on ne peut travailler sans le consentement du propriétaire. *Propriété privée* signifie que le non-propriétaire est privé de la faculté d'y entrer et d'en jouir, quel que soit le sujet du droit — personne privée ou collective — le caractère de *privation* existant pour tous les autres, les non-propriétaires.

culture. Mais nous ne pourrons jamais appliquer efficacement ni les connaissances scientifiques dont nous disposons, ni les moyens techniques de culture du sol que nous dominons, par exemple les machines, si nous ne cultivons pas la terre à une grande échelle.

La culture du sol en grand (même sous sa forme capitaliste actuelle qui rabaisse le producteur au rang de simple bête de somme) donne des résultats bien supérieurs à ceux de la culture parcellaire. Ne donnerait-elle pas une impulsion énorme à la production, si elle était appliquée à l'échelle nationale ? Les besoins sans cesse croissants de la population, d'une part, et l'augmentation incessante des prix des produits agricoles, d'autre part, apportent la preuve irréfutable que la nationalisation du sol est devenue une nécessité sociale [20].

Si la production agricole régresse, c'est en raison des ingérences individuelles. Une telle régression devient impossible quand la culture du sol est réalisée sous le contrôle, aux frais et au profit de la nation.

La discussion a fait apparaître que parmi les partisans de la nationalisation de la terre, il en est qui ont des conceptions différentes. A ce propos, on cite souvent l'exemple de la France. Or sa propriété paysanne est bien plus éloignée de la nationalisation de la terre que celle de l'Angleterre avec son économie agraire à grande échelle. Il est vrai qu'en France la terre est accessible à tous ceux qui peuvent l'acheter, mais cette faculté précisément a été la cause du morcellement du sol en petites parcelles cultivées par des gens qui ne disposent que de moyens dérisoires et dépendent essentiellement de leur propre travail musculaire, ainsi que

20. Marx tient compte de deux choses lorsqu'il propose la nationalisation du sol : 1. Au sein de l'Internationale, il subsiste de nombreux partisans de la propriété privée, notamment les proudhoniens. Face à ceux-ci, Marx se déclare en toute occurrence hostile à la propriété privée parcellaire. 2. Au niveau de la propagande, Marx déclare que la bourgeoisie est d'ores et déjà poussée vers la culture à une grande échelle, pour ainsi dire nationale. Il prendra donc la bourgeoisie au mot et proposera une gestion nationale par l'intermédiaire de l'Etat, tout en sachant que cette mesure ne sera jamais appliquée par la bourgeoisie. La nationalisation du sol prélude, pour les marxistes, à l'élimination du capitalisme et du salariat, alors que, dans leurs modèles, utopistes et communistes égalitaires prônent la simple généralisation de la propriété privée.

de celui de leur famille. Cette forme de propriété foncière, avec sa culture de surfaces éparses, non seulement exclut toute utilisation des moyens agricoles modernes, mais encore fait du paysan l'ennemi décidé de tout progrès social, et surtout de la nationalisation de la terre.

Enchaîné au sol auquel il est obligé d'apporter toute son énergie et sa vie pour obtenir un rendement relativement faible ; contraint de céder la majeure partie de ses produits à l'Etat sous forme d'impôts à la clique des gens de loi, sous forme de frais de justice, et à l'usurier sous forme d'intérêts ; ignorant totalement l'évolution sociale extérieure à son étroit champ d'activité — il s'accroche cependant avec une passion aveugle à son lopin de terre et à son titre de propriété purement nominal. C'est la raison pour laquelle le paysan français s'est trouvé jeté dans une opposition absolument funeste à la classe des travailleurs de l'industrie. Du fait même que ces formes de la propriété agraire sont l'obstacle majeur à la « nationalisation de la terre », ce n'est pas de la France que nous pouvons attendre la solution de cet important problème dans l'état actuel des choses.

Nationaliser la terre sous un gouvernement bourgeois pour l'affermer par petites parcelles à des travailleurs isolés ou à leurs associations ne ferait que déchaîner une concurrence impitoyable entre eux, provoquer un accroissement progressif de la « rente » et donner à ceux qui détiennent le sol des possibilités nouvelles de vivre aux dépens des producteurs.

Au congrès international de Bruxelles de 1868, l'un de mes amis disait : « La petite propriété foncière a été condamnée par le verdict de la science, et la grande propriété par la justice. Il ne reste donc qu'une alternative : la terre doit devenir, soit la propriété d'associations agricoles, soit la propriété de l'ensemble de la nation. L'avenir décidera de cette question. »

Je dis au contraire : « L'avenir décidera que le sol ne peut être que propriété de la nation. Transférer la terre à des travailleurs agricoles associés, ce serait livrer toute la société à une classe particulière de producteurs[21]. La

---

21. Marx oppose ici deux formules : le transfert de la terre à des travailleurs agricoles associés, qui livrerait la société à une CLASSE particulière (il ne rejette donc pas seulement l'assujettissement du *producteur* au *propriétaire*, mais encore celui des *producteurs industriels* aux *producteurs agricoles* : cf. la Russie) et celle du transfert de la terre à la NATION. Certes, ce n'est encore

nationalisation de la terre opérera une transformation complète des rapports entre le travail et le capital, et elle éliminera enfin toute la production capitaliste dans l'industrie aussi bien que dans l'agriculture. C'est alors seulement que les différences et les privilèges de classe disparaîtront en même temps que la base économique sur laquelle ils reposent — et la société se transformera alors en une association de « producteurs ». Vivre du travail d'autrui ne sera plus qu'un rapport du passé ! Il n'y aura plus alors ni gouvernement, ni Etat en opposition à la société !

L'agriculture, les mines, les fabriques — bref, toutes les branches de la production — seront progressivement organisées de la manière la plus efficace. La centralisation nationale des moyens de production deviendra la base naturelle d'une société composée d'associations libres et égales de producteurs qui régleront consciemment leur activité selon un plan rationnel commun [22]. Tel est le but auquel tend le vaste mouvement économique du XIXᵉ siècle.

---

qu'une *formule de transition,* mais elle a l'avantage d'être cohérente avec la forme finale du communisme. En effet, si le terme de *nation* est limitatif par rapport à la revendication révolutionnaire et internationaliste, elle est utile en deux sens encore : d'abord, elle s'oppose à l'attribution de la terre à des fractions de classe ou classes, à des groupes locaux ou groupes d'entreprises, catégories professionnelles ou groupements de métier : ensuite, elle met l'accent sur l'idée de temps : *nation* vient étymologiquement de *naître* et englobe l'idée de succession de générations vivantes, futures et mêmes passées. Bref, qui dit classe dit Etat, tandis que nation annonce la société future tout entière, or l'Etat doit finalement s'éteindre. Il ne faut donc pas trop le lier aux plans économiques.

Sous la dictature du prolétariat, l'Etat est surtout nécessaire comme moyen de coercition contre l'ennemi intérieur et extérieur. Les producteurs ne seront pas régentés par les fonctionnaires de l'Etat, et développeront déjà une certaine initiative libre. En ce sens aussi, la propriété nationale est préférable à la propriété étatique : cf. MARX-ENGELS, *Le Syndicalisme,* t. I, pp. 64-67, et la note 52, pp. 108-110. En ce sens aussi, Lénine était opposé à l'étatisation des syndicats après la conquête du pouvoir. En revanche, les syndicats sont toujours liés au parti de classe dans la conception marxiste. L'Etat ne construit pas le socialisme. L'économie est l'affaire des producteurs, organisés certes.

22. La formule de Marx *aboutit* à l'abolition, non seulement de la propriété privée de personnes, de groupes ou de classes

La simple propriété juridique du sol ne fournit pas de rente foncière au propriétaire, mais elle lui confère le pouvoir de soustraire sa terre à l'exploitation tant que les conditions économiques ne permettent point une valorisation qui lui rapporte un excédent, parce que la terre est utilisée à des fins agricoles proprement dites, ou à d'autres fins, la construction par exemple, etc. [23]. Il ne peut ni accroître, ni restreindre l'étendue absolue de sa terre, mais bien la partie qui s'en trouve sur le marché. Comme l'a déjà constaté Fourier, il est donc caractéristique, que dans tous les pays civilisés une partie relativement importante des terres demeure toujours soustraite à la culture.

Le dogme fondamental de Henry George, c'est que *tout rentrerait dans l'ordre* si la rente était payée à l'Etat (tu trouveras déjà ce paiement parmi les mesures de transition contenues dans le *Manifeste communiste*) [24]. Cette idée provient tout d'abord des économistes bourgeois, elle fut prônée en premier (abstraction faite de revendications semblables à la fin du XVIIIe siècle) par les premiers partisans *radicaux* de Ricardo, dès la mort de celui-ci. J'en disais ce qui suit en 1847 dans mon ouvrage contre Proudhon :

(qu'il s'agisse de simples détenteurs de titre de propriété ou de producteurs), mais encore à l'élargissement de la formule nationale, puisqu'il parle de la société qui règle sa production d'après un « plan COMMUN ». Le terme de *nation* employé par Marx a, outre les avantages énoncés plus haut, celui d'admettre la dynamique de la fusion ultérieure d'autres « nations » (qui auront fait leur révolution), et de la sorte la nation évoluera vers le concept général final de *société,* qui s'étend à l'espèce humaine tout entière, et ne connaîtra plus de titre de propriété du tout, donc plus de limitations locales ou catégorielles. Cf. la série des *Fil du temps* (nos 2, 6, 7) consacrés à la question agraire. Dans le n° 2, pp. 2-73, on trouvera l'exposé de la phase de transition au communisme dans l'agriculture.

23. Cf. MARX, *Le Capital,* III, extrait du chapitre XLV : « La Rente foncière absolue ».

24. Cf. Marx à F. A. Sorge, 20 juin 1881.

Dans ce passage, c'est d'un point de transition au socialisme qu'il s'agit : le transfert à l'Etat national de la rente foncière liée à la propriété foncière. Il apparaît ici encore que cette revendication tend à dépasser le système capitaliste tout en partant de sa base même. Elle consoliderait même la production capitaliste, si elle était appliquée par la bourgeoisie. Pour Marx comme pour les utopistes, il faut abolir le salariat.

« Nous concevons que des économistes tels que Mill [l'ancien, non le fils John Stuart, qui d'ailleurs le répète à quelques modifications près], Cherbuliez et autres ont demandé que la rente soit attribuée à l'Etat pour servir d'acquittement des impôts. C'est là la franche expression de la haine que le *capitaliste industriel* voue au *propriétaire foncier,* qui lui paraît une inutilité, une superfétation, dans l'ensemble de la production bourgeoise. »

Nous-mêmes — comme je viens de le mentionner — nous avons admis cette appropriation de la rente foncière par l'Etat parmi les *mesures transitoires* qui, ainsi qu'il est également noté dans le *Manifeste,* sont et doivent être contradictoires en elles-mêmes.

Mais faire de ce souhait des économistes bourgeois *radicaux* d'Angleterre la panacée *socialiste,* déclarer que ce procédé résolve les antagonismes contenus dans l'actuel mode de production, cela ne fut réalisé que par *Colins,* un ex-officier des hussards du vieux Napoléon, d'origine belge...

Tous ces « socialistes » depuis Colins ont en commun qu'ils laissent subsister le *travail salarié* et, par conséquent, la production capitaliste en voulant faire accroire à eux-mêmes et au monde que, par la transformation de la rente en impôt payé à l'Etat, tous les méfaits de la production capitaliste doivent disparaître d'eux-mêmes. Tout cela n'est qu'une tentative teintée de socialisme *pour sauver la domination capitaliste* et la rétablir effectivement sur *une base encore plus large qu'aujourd'hui.*

Le fait que c'est simplement leur titre de propriété sur une parcelle du globe terrestre qui permet à certains individus de s'approprier comme tribut une partie du surtravail social et de s'en appproprier une fraction de plus en plus grande à mesure que la production se développe — ce fait est masqué par cet autre que la *rente capitaliste* apparaît comme prix de la terre et peut donc être vendue comme n'importe quelle autre marchandise [25]. Aux yeux de l'ache-

25. Cf. MARX, *Le Capital,* III, in *Werke,* 25, p. 784.
Avant de passer en revue ces formes de transition au communisme, nous considérons maintenant l'argumentation scientifique de Marx relative au processus qui mène à l'abolition de toute propriété sur la terre, et donc sur tous les autres instruments, matière et produit du travail humain. Ce texte montre que chacune de ses conclusions s'appuie sur une démonstration scienti-

teur, sa prétention à une rente ne lui apparaît donc pas gratuite, comme s'il l'avait obtenue sans le travail, le risque et l'esprit d'entreprise du capital, car il l'a payée à son équivalent. Comme nous l'avons déjà noté, il lui semble que la rente n'est qu'un intérêt du capital, grâce auquel il achète la terre, et donc aussi sa prétention à une rente. Exactement de la même façon, il apparaît au propriétaire d'esclaves, qui a acheté un Noir, qu'il n'a pas acquis son droit de propriété par l'institution même de l'esclavage, mais par la vente et l'achat de cette marchandise. Cependant, le titre de propriété n'est pas créé par la vente, mais simplement transféré à un autre possesseur. Le titre doit être là avant de pouvoir être vendu ; pas plus qu'une vente, une série de ventes répétées ne saurait le créer. Ce qui l'a créé, en somme, ce sont les conditions de la production. Dès que celles-ci ont atteint un point où elles doivent se dépouiller de leur forme antérieure, la source de ce titre, la source matérielle — économiquement et historiquement justifiée — disparaît et, avec elle, toutes les transactions correspondantes.

En nous plaçant du point de vue d'une organisation économique supérieure de la société, il sera tout aussi absurde de dire qu'un individu possède un titre de propriété privé sur une parcelle quelconque du globe terrestre

_____

fique non seulement des éléments du présent, mais encore du passé en retenant la série de causes et d'effets des forces qui jouent dans le développement de l'espèce humaine, afin d'en saisir le pourquoi et le comment, et d'en tirer les lois générales pour déterminer la direction de l'évolution future. Les recherches théoriques du *Capital* ont, en fait, pour but la définition et la description de la société future, à partir de la connaissance dialectique du mouvement de l'économie et de la société capitalistes. Elles définissent ainsi le programme du parti révolutionnaire du prolétariat. Dès lors, le marxisme est en mesure d'expliciter les aspects multiples de la société communiste avec une sûreté et une précision bien plus grandes que celles dont faisaient preuve les descriptions les plus hardies des utopistes.

La faiblesse — historiquement déterminée — des utopistes réside dans le fait qu'après avoir énuméré les défauts de la société présente — en quoi leur œuvre critique est admirable —, ils ont tiré la trame de la société future, non d'un enchaînement de processus réels de la société en reliant le cours antérieur à l'actuel et au futur, mais de leur raisonnement et de leur imagination, qui exprimaient maladroitement — si l'on peut dire — leur intuition profonde.

que de dire qu'il possède un droit de propriété sur un autre homme. *La société elle-même n'est pas propriétaire de la terre. Il n'y a que des usufruitiers qui doivent l'administrer en bons pères de famille, afin de transmettre aux générations futures un bien amélioré* [26].

Revendication des utopistes à la manière bourgeoise ou marxiste

Le système qui permet d'appliquer les sociétés par actions à l'industrie ouvre indéniablement une ère nouvelle dans

---

26. Marx prévoit ici un fait qui éclate aux yeux de l'actuelle génération, coupée de la mère nourricière qu'est la nature : la gestion et la culture de la terre ne peut se faire selon les convoitises d'une seule génération. Au reste l'analyse économique de la rente foncière le démontrerait : l'actuelle productivité de la terre provient du travail d'amendement des innombrables générations du passé, et les produits de la terre eux-mêmes ne sont-ils pas sans cesse améliorés par le filtre du travail humain ? C'est en se fondant encore sur les analyses concrètes de la forme capitaliste actuelle, qui épuise les ressources de la terre et ne peut résoudre le problème de l'alimentation des peuples innombrables, que Marx greffe sa démonstration magistrale, que seule peut donner le communisme supérieur. La gestion de la terre, clé de voûte de tout le problème social, comme Fourier le savait si bien, doit être entreprise de façon à permettre le meilleur développement futur de la population du globe. En effet, comme Marx le souligne, la société humaine vit au-delà des limites des Etats qui se multiplient désespérément au cours de cet après-guerre. Dans le communisme, pour la première fois dans l'histoire — volontairement et consciemment, sur une base scientifique — la société se subordonnera à l'espèce, c'est-à-dire qu'elle s'organisera non pas en fonction des structures et des rapports du passé, mais selon des formes qui répondent le mieux à l'évolution future de l'humanité. Seul le parti — tel qu'il a été défini et mis en œuvre par Marx-Engels, c'est-à-dire un organe d'une classe représentant toute l'humanité future, ainsi que les intérêts, les buts et les luttes des générations passées et présentes de tous les pays — est en mesure de concevoir et de réaliser un but aussi grandiose, cf. MARX-ENGELS, *Le Mouvement ouvrier français*, Petite Collection Maspero, 1974, t. I, p. 9.

la vie économique des nations capitalistes modernes [27]. D'une part, les sociétés par actions révèlent au grand jour toutes les puissances productives qui se trouvent dans l'association — et ce, à un point que l'on ne soupçonnait guère auparavant — en même temps qu'elles font naître les établissements industriels à une échelle hors de portée des efforts de capitalistes individuels. D'autre part, il ne faut pas oublier que dans les sociétés par actions, *ce ne sont pas les individus qui s'associent, mais les capitaux* [28]. Par ces

27. Cf. MARX, « Le Crédit mobilier », *New York Daily Tribune,* 11 juillet 1856.
Dans ce texte, Marx décrit la dernière phase de l'évolution du capitalisme — celle où les grands organismes de production et de communication sont appropriés d'abord par des sociétés par actions, puis par des trusts, enfin par l'Etat, et où la bourgeoisie s'avère comme une classe superflue, toutes ses fonctions sociales étant désormais remplies par des employés salariés, cf. p. 20. Marx se base sur l'expérience du Crédit mobilier français, ce système financier qui, sous le Second Empire, patronna l'industrie en France, à l'initiative des saint-simoniens embourgeoisés, les M. Chevalier, Péreire, etc. C'est à partir de ces recherches concrètes que Marx rédigera ses analyses théoriques sur le crédit dans le livre III du *Capital,* par exemple.
Cependant, ce texte révèle encore une autre source de Marx pour cette analyse du stade ultime du développement capitaliste — Fourier, qui, comme l'explique Engels, a pressenti le mécanisme de la succession, déterminée dans l'histoire, des diverses formes de production et de société, ainsi que la dialectique du mouvement ascendant, puis descendant de chaque forme de production, qui engendre une nouvelle forme sociale supérieure.
Fourier n'a pas seulement eu l'intuition de la lointaine société communiste, mais il a prévu encore le cours ultime du capitalisme lui-même — sans doute parce qu'il avait un œil particulièrement ouvert au progrès social à un moment où l'histoire était tumultueusement en mouvement. A plusieurs reprises — et même dans *Le Capital* — Marx se référera au grand utopiste comme à une haute autorité scientifique pour la détermination de caractéristiques essentielles de l'économie capitaliste et socialiste.
28. La thèse économique fondamentale du marxisme est que le capitalisme se définit comme un rapport social de production et de distribution, et non comme un rapport juridique de la propriété des personnes, notion fausse à laquelle se réfèrent ceux pour qui la Russie actuelle ne serait pas capitaliste, parce qu'on n'y trouverait pas les capitalistes individuels, mais seulement les agents qui remplissent les fonctions du capital et sont salariés avec la plus-value extorquée aux ouvriers.

manipulations, les propriétaires sont transformés en action-naires, c'est-à-dire en spéculateurs. La concentration du capital est accélérée, avec sa conséquence naturelle — la ruine de la petite bourgeoisie.

On voit naître des sortes de rois de l'industrie, dont la puissance est en raison inverse de leur responsabilité — ne sont-ils pas uniquement responsables dans la limite de leurs propres actions, alors qu'ils disposent du capital entier de la société ? Ils forment un corps plus ou moins permanent, alors que la masse des actionnaires est soumise à un procès incessant de décomposition et de renouvellement. Disposant à la fois de l'influence et de la richesse de la société, ils sont en mesure d'escroquer individuellement les membres rebelles de ce corps. Au-dessous de ce comité directeur oligarchique se trouve un corps bureaucratique de managers et d'agents exécutant le travail pratique, et en dessous d'eux se trouve, sans transition, une masse énorme, journellement plus nombreuse, de purs et simples travailleurs salariés, dont la dépendance et l'impuissance s'accroissent en même temps que le capital qui les emploie et qui devient donc plus dangereux à mesure que le nombre de ses représentants individuels diminue. C'est le mérite immortel de Fourier d'avoir prédit cette forme d'industrie moderne sous le nom de *féodalisme industriel* [29]. Sans doute, ce n'est pas Monsieur Isaac, ni Monsieur Emile Péreire, ni Monsieur Morny, ni Monsieur Bonaparte, qui ont pu l'inventer, même s'ils l'ont réalisé. Il existait aussi avant leur ère des banques par actions prêtant leur crédit à des sociétés industrielles par actions. Tout ce qu'ils ont inventé (avec le Crédit mobilier), c'est une banque par actions tendant au monopole des actions, antérieurement divisées et multiformes des prêteurs d'argent privés, et dont le principe directeur est la création d'un nombre énorme de compagnies industrielles, non pas en vue

---

29. Il faut entendre *féodalisme industriel* par analogie : à un certain niveau de son développement, le capitalisme entre dans sa phase sénile et se sclérose en un système aussi rigide et hiérarchisé que le féodalisme dans sa dernière phase. Il n'est pas question que le capitalisme sénile rechute dans le féodalisme ou dans la barbarie, en raison même du déterminisme historique de la production : la phase suivante en est le socialisme. On est frappé par l'analogie entre les descriptions de l'ultime phase du capitalisme de l'utopiste Fourier et celles d'Engels dans l'*Anti-Dühring* (cf. dans ce recueil, p. 20).

d'investissements productifs, mais simplement en vue de profits spéculatifs. L'idée nouvelle est de rendre le féodalisme industriel tributaire de la spéculation boursière.

Napoléon III se proposait de devenir l'homme le plus obligeant de France, en convertissant toute la propriété et toute l'industrie du pays en obligations personnelles à son égard [30]. Voler la France pour l'acheter — tel était le grand problème que notre homme devait résoudre pour régner. Or, dans cette opération où il s'agissait de prendre à la France ce qui devait être rendu à la France, ce qui n'était pas le moins négligeable à ses yeux, c'était le gain qu'il pouvait écrémer pour lui et la Société du Dix-Décembre. Mais comment allait-il concilier ces exigences contradictoires ? Comment allait-il résoudre ce délicat problème économique ? Comment allait-il démêler cet écheveau ?

Toute l'expérience passée de Bonaparte lui indiquait que le seul grand moyen de se tirer des difficultés économiques les plus grandes, c'était le *crédit*. Or, en France, il existait justement l'école de Saint-Simon, qui — de ses origines à son déclin — s'est bercée de cette illusion : tout antagonisme de classes disparaîtra, lorsqu'on aura créé un bien-être universel en mettant au point un système bien calculé de crédit public.

Le saint-simonisme, sous cette forme, n'était pas encore mort à l'époque du *coup d'Etat*. Il y avait Michel Chevalier, l'économiste du *Journal des Débats ;* il y avait Proudhon, qui s'efforçait de dissimuler la partie la plus mauvaise de la doctrine saint-simonienne sous un vernis d'une originalité excentrique. Il y avait enfin deux Juifs portugais, familiarisés avec la spéculation boursière et liés aux Rothschild : ils avaient grandi à l'ombre du Père Enfantin et, forts de leur expérience, furent assez hardis pour flairer la spéculation boursière derrière le socialisme, et Law derrière Saint-Simon. Ces hommes — Emile et Isaac **Péreire** — sont les fondateurs du *Crédit mobilier* [31] et les instigateurs du socialisme bonapartiste.

---

30. Cf. MARX, « Le Crédit mobilier français », *New York Daily Tribune,* 24 juin 1856.
31. D'après M. Péreire la première fonction du *Crédit mobilier* est de fournir des capitaux aux entreprises industrielles, organisées en sociétés anonymes : « Le *Crédit mobilier* joue à l'égard des valeurs représentant du capital industriel le même

Il existe un vieil adage : « *Habent sua fata libelli* ». De fait, les doctrines ont leur destinée, tout comme les livres. Saint-Simon devint l'ange tutélaire de la Bourse de Paris, le prophète de l'escroquerie, le messie de la corruption générale ! L'histoire ne connaît pas d'ironie plus cruelle, exception faite de Saint-Just, réincarné par le *juste milieu* de Guizot, et Napoléon par Louis Bonaparte [32].

---

rôle que les banques d'escompte à l'égard des valeurs représentant du capital commercial. Le premier devoir de cette société est de soutenir l'industrie nationale, de favoriser la constitution de grandes entreprises, qui, livrées à elles-mêmes, seraient aux prises à de graves difficultés. » (Extrait du même article de Marx.)

32. Cette constatation de Marx n'est nullement une critique de l'utopisme de Saint-Simon lui-même, ni surtout de ses mérites personnels : celui-ci a défendu les intérêts de la classe ouvrière dans les conditions précises de son époque et prôna pour le futur un modèle qui dérivait d'une intuition communiste profonde, mais qui, réalisée alors que la bourgeoisie est au pouvoir, restait parfaitement capitaliste, tout en demeurant progressiste, puisqu'il développait le capitalisme dans sa forme la plus haute, celle des grandes banques et des monopoles tant décriés par les « communistes » petits-bourgeois d'aujourd'hui. En effet, en poussant le système capitaliste — avec le crédit — jusqu'à ses contradictions les plus crues, Saint-Simon sapait le capitalisme et œuvrait à sa ruine.

Le marxisme seul, parce que surgi à une époque historique plus développée pouvait trouver la solution aux problèmes soulevés par Saint-Simon qui, faute de la conquête du pouvoir par les ouvriers, voyait son système s'enliser dans le marais bourgeois. Comme nous le verrons dans les passages suivants, extraits du *Capital,* Marx reprend l'intuition de Saint-Simon et, avec les moyens politiques de la classe ouvrière au pouvoir, donne un contenu qui évolue vers le communisme à son système utopique, grâce à sa combinaison avec le système des coopératives — élevé à l'échelle nationale — qu'avait prôné l'utopiste anglais Owen, ce défenseur acharné des premières libertés syndicales des ouvriers.

Dès le début, Marx a montré les limites de l'utopisme, celui-ci devant se développer en socialisme scientifique pour échapper à l'exploitation bourgeoise qui le réduisait à une caricature socialiste. En effet, l'utopisme était né à « une époque où le prolétariat avait encore des intérêts communs avec la bourgeoisie industrielle et petite. Il suffit d'évoquer les écrits de Cobbett, de P.-L. Courier ou de Saint-Simon, par exemple, qui au début rangeaient encore les capitalistes industriels parmi les travailleurs, en opposition aux oisifs, les rentiers » (MARX-ENGELS, *L'Idéologie allemande*).

Les événements vont plus vite que le raisonnement des hommes. Alors que nous nous appuyons sur l'analyse des principes et des conditions de fonctionnement du *Crédit mobilier* pour prévoir son effondrement inévitable, l'histoire est déjà en train de réaliser notre prédiction. Le 31 mai, l'un des directeurs du *Crédit mobilier,* M. Place a fait faillite pour une somme de 10 millions. Quelques jours avant, il avait été « présenté à l'empereur par M. de Morny » comme un *dieu de la finance : les dieux s'en vont !* Presque le même jour, *le Moniteur* publiait la nouvelle loi sur les *sociétés en commandite,* qui, sous prétexte de mettre un frein à la fièvre de la spéculation, livre ces sociétés à la merci du *Crédit mobilier,* en faisant dépendre leur fondation de l'accord du gouvernement ou du *Crédit mobilier.*

De même que les *économistes* sont les représentants scientifiques de la classe bourgeoise, de même les *socialistes* et les *communistes* sont les théoriciens de la classe prolétaire[33]. Tant que le prolétariat n'est pas encore assez développé pour se constituer en classe, que, par conséquent, la lutte même du prolétariat avec la bourgeoisie n'a pas encore un caractère politique, et que les forces productives ne se sont pas encore assez développées dans le sein de la bourgeoisie elle-même, pour laisser entrevoir les conditions matérielles nécessaires à l'affranchissement du prolétariat et à la formation d'une société nouvelle, ses théoriciens ne sont que des utopistes qui, pour obvier aux besoins des classes opprimées, improvisent des systèmes et courent après une science régénératrice. Mais à mesure que l'histoire marche et qu'avec elle la lutte du prolétariat se dessine plus nettement, ils n'ont plus besoin de chercher la science dans leur esprit, ils n'ont qu'à se rendre compte de ce qui se passe

---

33. Cf. Karl MARX, *Misère de la philosophie,* chap. II, § 2.
Ce texte met en évidence que le mouvement utopiste devient doctrinaire et sectaire lorsque les conditions historiques mûrissent pour un mouvement de classe, fondé sur le matérialisme économique et historique, et organisé en parti politique. Nous n'avons plus alors les grands utopistes classiques, mais leurs successeurs fouriéristes, cabettistes, Pierre Lerouxistes, et surtout proudhoniens, qui acceptent plus ou moins facilement d'évoluer vers la Première Internationale de Marx-Engels. Les bakouninistes et les anarchistes de la Première Internationale n'ont finalement plus que le sectarisme en propre, et dès lors ils sont réactionnaires. Le temps de l'utopisme est passé.

devant leurs yeux et de s'en faire l'organe. Tant qu'ils cherchent la science et ne font que des systèmes, tant qu'ils sont au début de la lutte, ils ne voient dans la misère que la misère, sans y voir le côté révolutionnaire, subversif, qui renversera la société ancienne. Dès ce moment, la science produite par le mouvement historique, et s'y associant en pleine connaissance de cause, a cessé d'être doctrinaire, elle est devenue révolutionnaire.

Après une lutte de trente ans, conduite avec la plus admirable persévérance, la classe ouvrière d'Angleterre, bénéficiant d'un désaccord momentané entre les maîtres de l'argent, réussit à conquérir la *loi de dix heures de travail*[34]. De tous côtés, on a reconnu les immenses avantages, physiques, moraux et intellectuels, qui en résultèrent pour les ouvriers, et les rapports semestriels des inspecteurs des fabriques en font état à chaque fois depuis lors. Qui plus est, la plupart des gouvernements du continent durent adopter la loi anglaise des fabriques sous une forme plus ou moins modifiée, et le Parlement anglais lui-même se vit contraint d'en étendre chaque année le domaine d'application.

Outre son importance pratique, le succès de cette mesure ouvrière eut encore un autre effet. Par ses porte-parole scientifiques les plus autorisés — le docteur Ure, le professeur Senior et autres sages du même acabit —, la bourgeoisie avait prédit et prouvé à l'envi que la moindre réduction légale du temps de travail sonnerait le glas de l'industrie anglaise, qui, tel un vampire, ne peut pas vivre sans sucer le sang, et surtout le sang des enfants. Jadis, le sacrifice d'un enfant était un rite mystérieux du culte de Moloch, mais il n'était pratiqué qu'en occasions particulièrement solennelles, peut-être une fois par an, et puis Moloch n'avait pas une prédilection particulière pour les enfants des pauvres.

---

34. Cf. MARX, *Adresse de l'Association internationale des travailleurs,* établie le 28 septembre 1864, dans une assemblée publique tenue à Londres, à St-Martin's Hall, à Long Acre.
Ce texte témoigne d'une pratique dialectique rare. Marx s'efforce de renouer avec l'utopisme, afin de hausser, d'une part, le mouvement syndical anglais (qui n'est pas sans liens avec l'owénisme) au niveau *politique* de l'Internationale, et d'amener, d'autre part, les proudhoniens français à une conception de lutte *syndicale,* afin de les faire évoluer également vers les positions de classe de l'Internationale marxiste.

La lutte pour la limitation légale [35] fut d'autant plus acharnée qu'à part la menace qu'elle faisait peser sur la bourgeoisie elle portait sur la grande querelle entre, d'une part, l'aveugle loi de l'offre et de la demande, qui forme l'essentiel de l'*économie politique de la classe bourgeoise*, et, d'autre part, le contrôle de la production sociale par l'action et la prévision collectives qui forme l'essentiel de l'*économie politique de la classe ouvrière*. C'est ce qui explique que la loi de dix heures n'a pas été seulement un succès pratique, mais encore la victoire d'un principe. Pour la première fois, l'économie politique du travail remporta une victoire éclatante sur l'économie politique du capital.

───────

35. L'exemple le plus concret — économique — d'utopiste qui prôna et prit des mesures dans l'intérêt de toute la classe ouvrière est *Owen* : « Dès 1816, il déclara qu'une limitation générale — par décision légale s'imposant aux capitalistes comme aux ouvriers — de la journée de travail est le premier pas *préparant* l'émancipation de la classe ouvrière et l'appliqua pour son propre compte dans sa filature de coton de New-Lanark. » (MARX, *Salaire, Prix et Profit*.) Dans *La Situation des classes laborieuses en Angleterre*, Engels écrivait : « Vers 1817, celui qui devait fonder le socialisme anglais, Robert Owen, alors fabricant à New-Lanark (Ecosse), commença à attirer l'attention du pouvoir exécutif, par une campagne de pétitions, de pamphlets et autres mémoires, sur la nécessité de réserver des garanties légales à la santé des ouvriers, et notamment des enfants. Sir R. Peel ainsi que d'autres philanthropes se joignirent à lui et réussirent à arracher les lois de fabrique de 1819, 1825 et de 1831. »

De ces lois de fabrique, Marx dit dans *Le Capital* qu'elles mènent dialectiquement au socialisme : « Avec les conditions matérielles et les combinaisons sociales de la production, elle développe en même temps les contradictions et les antagonismes de sa forme capitaliste, avec les éléments de formation d'une société nouvelle (communiste), les forces destructives de l'ancienne » (parmi lesquelles figure le prolétariat, organisé économiquement en syndicat et dirigé politiquement par son parti). Et Marx d'ajouter en note : « Robert Owen, le père des fabriques et boutiques coopératives qui, cependant, comme nous l'avons déjà remarqué, était bien loin de partager les illusions de ses imitateurs sur la portée de ces *éléments* de transformation ISOLÉS, n'en prit pas seulement le système de fabrique pour point de départ de ses essais, il déclara en outre que c'était là théoriquement le point de départ de la révolution sociale. » (*Le Capital*, I, Ed. sociales, t. 2, p. 178.)

Owen était donc en règle, mais à son époque la seule action qu'il pouvait mener — étant donné la passivité historiquement

Nous voulons parler du mouvement coopératif et surtout des fabriques coopératives, organisées, avec bien des efforts et sans aide officielle aucune, par quelques bras audacieux. On ne saurait exagérer l'importance de ces expériences, elles ont prouvé que la grande production, à une vaste échelle et en harmonie avec les exigences de la science moderne, peut être effectuée sans qu'une classe de maîtres emploie une classe de bras, que les moyens de travail, pour porter des fruits, n'ont pas besoin d'être monopolisés en dominant et exploitant le travailleur, et que le *travail salarié* — tout

---

déterminée, durant la toute première phase de l'accumulation en Angleterre, des ouvriers — était de s'adresser aux gens de raison, avec des pétitions. Ce n'est que plus tard que Marx pourra théoriser l'auto-activité du prolétariat, « dont l'émancipation sera son œuvre propre ». Mais déjà, Owen a appliqué ses idées dans sa propre fabrique et a présidé au premier syndicat anglais. C'est pourquoi dans l'Adresse de la Première Internationale, Marx renouera avec l'owénisme pour le hausser au niveau du parti international de classe.

Dans sa lettre du 17 mars 1868, Marx donne les précisions suivantes à ce propos : « Je ne présente pas la *grande industrie* comme la mère de l'antagonisme, mais comme la productrice des conditions matérielles et intellectuelles pour résoudre ces antagonismes, ce qui toutefois ne peut s'effectuer *par la voie pacifique.*

Pour ce qui concerne la loi de fabrique — comme première condition pour que la classe ouvrière obtienne une liberté de mouvement pour son développement et son organisation — je réclame qu'elle soit faite par la *voie étatique,* comme loi coercitive, non seulement contre les fabricants, mais encore contre les ouvriers eux-mêmes (cf. *Le Capital,* page 542, note 52 sur la résistance d'ouvrières contre la réduction du temps de travail). Si Monsieur Meyer développe la même énergie qu'Owen, il peut briser ces sortes de résistances. Mais je dis aussi (cf. p. 243) que le *fabricant isolé* (sauf pour autant qu'il veuille agir sur la législation par une action publique) ne peut pas faire grand-chose. Comme je le répète : " En somme cela ne dépend ni de la bonne ni de la mauvaise volonté du capitaliste isolé, etc. " cf. note 114. Mais que chacun peut tout de même être actif, c'est ce que des fabricants, tels que Fielden et Owen, ont démontré à satiété. Leur action principale doit cependant être de nature publique. »

A propos de l'appréciation de l'activité syndicale d'Owen par Engels, cf. MARX-ENGELS, *Les Utopistes,* Petite Collection Maspero, 1976, chap. 1 : « Le Stade utopiste du mouvement ouvrier. »

aussi bien que le travail des esclaves et des serfs — *n'est qu'une forme transitoire et inférieure, destinée à disparaître devant le travail associé,* exécutant sa tâche de son plein gré, l'esprit alerte et le cœur content.

En Angleterre, la graine du système coopératif a été semée par Robert Owen. Les expériences tentées par les travailleurs sur le continent sont en fait une application pratique de théories qui n'ont pas été inventées en 1848, mais ont été alors seulement proclamées hautement.

En même temps, l'expérience de la période de 1848 à 1864 a démontré sans aucun doute possible *ce que les plus clairvoyants des chefs de la classe ouvrière ont déjà exprimé dans les années 1851 et 1852 à propos du mouvement coopératif en Angleterre* [36], à savoir : pour excellent qu'il soit en principe, et utile qu'il soit dans la pratique, le travail coopératif, s'il reste circonscrit dans un secteur étroit, lié à des tentatives, à des efforts isolés et épars des travailleurs, ne sera jamais capable d'arrêter la progression géométrique des monopoles, ni de libérer les masses, ni même d'alléger de manière sensible le poids de la misère.

C'est sans doute parce qu'ils l'ont compris que des lords beaux parleurs, des bourgeois philantropes et moralisateurs, voire certains froids économistes coquettent à présent avec ce système de travail coopératif qu'ils avaient dans le temps cherché vainement à tuer dans l'œuf, en le raillant comme une utopie de rêveurs ou comme un sacrilège de socialistes.

Pour pouvoir affranchir les masses laborieuses, le système coopératif doit être développé à l'échelle nationale, ce qui implique qu'il dispose de moyens nationaux. Mais jusque-là, les propriétaires de la terre et du capital useront sans cesse de leurs privilèges politiques pour défendre et perpétuer leurs monopoles économiques. Loin de favoriser l'émancipation des travailleurs, ils s'évertueront à semer sur sa voie tous les obstacles possibles et imaginables.

Lord Palmerston exprima le fond de leur pensée, quand il interpella les partisans du projet de loi sur les droits des fermiers irlandais à la dernière session du Parlement en s'écriant : « La Chambre des Communes est une chambre de propriétaires fonciers ! »

---

36. Dans sa traduction allemande pour le *Sozial-Demokrat* du 30 décembre 1864, Marx a ajouté toute la partie de la phrase en italique.

Dans ces conditions, le grand devoir de la classe ouvrière, c'est de conquérir le pouvoir politique. Il semble que les ouvriers en prennent conscience.

Certains amis condescendants de la classe ouvrière, alors qu'ils dissimulaient difficilement leur dégoût, même pour les quelques mesures qu'ils considèrent comme « socialistes », alors qu'il n'y a rien de socialiste en elles *sauf leur tendance,* exprimèrent leur satisfaction et essayèrent d'attirer à la Commune de Paris des sympathies distinguées, en faisant cette grande découverte qu'après tout les ouvriers étaient des gens raisonnables et que, toutes les fois qu'ils sont au pouvoir, ils tournent toujours résolument le dos aux entre-prises socialistes [37] ! De fait, ils n'ont tenté d'établir à Paris

_____

37. Cf. MARX, « Première ébauche pour *La Guerre civile en France* » ; d'après le texte anglais publié dans *Arkhiv Marksa i Engelsa,* publication de l'Institut du marxisme-léninisme, Moscou, tome III (VIII), 1934.
Dans ce texte, Marx répond à la question naïve de ceux qui demandent : pourquoi les ouvriers, quand ils arrivent à conquérir le pouvoir, n'instaurent-ils pas aussitôt leur modèle de société ? Tout bonnement, parce que dans le mouvement réel, il faut d'abord une phase de dictature du prolétariat pour mettre fin à la préhistoire humaine.
Les successeurs de Saint-Simon, de Fourier, de Proudhon, etc., qui s'acharnèrent à rester plus tard sur le terrain utopiste, dépassé par le développement économique, devinrent de plus en plus réactionnaires *sur le plan idéologique et politique :* « Aucun comtiste n'a participé à la création de l'Internationale. Le pro-fesseur E. Beesly a eu le très grand mérite, à l'époque de la Commune, de défendre l'Internationale dans la presse contre des attaques qui se firent alors extrêmement violentes. Fred. Harrison également a défendu la Commune publiquement. Mais, quelques années plus tard, les comtistes devinrent infiniment plus froids vis-à-vis du mouvement ouvrier : les ouvriers étaient maintenant trop puissants ; en effet *pour maintenir un égal équi-libre entre capitalistes et ouvriers* — tous deux ne sont-ils pas des producteurs au sens de Saint-Simon ? — *il fallait au contraire soutenir les capitalistes* — et depuis les comtistes sont devenus tout à fait silencieux sur la question ouvrière. » (Engels à F. Tœnnies, 24 janvier 1895.)
Ce sont les faits mêmes qui poussent les utopistes à aban-donner leurs modèles fantaisistes que les intuitions du commu-nisme futur avaient suscitées à l'époque de faible maturité éco-nomique où ils vivaient. Le marxisme confirme ainsi ses positions *sous la pression même de la réalité,* qui se manifeste de manière

ni un phalanstère, ni une Icarie. Les sages de leur génération ! Ceux qui apportent ainsi leur patronage bienveillant, en ignorant profondément les aspirations et le mouvement véritables de la classe ouvrière, n'oublient qu'une seule chose : tous les fondateurs de secte appartiennent à une époque où la classe ouvrière elle-même n'était pas suffisamment exercée et organisée par le développement même de la société capitaliste pour faire son entrée historique sur la scène mondiale, les conditions matérielles de son émancipation n'ayant pas encore mûri au sein du vieux monde lui-même. Leur misère existait certes, mais les conditions pour leur propre mouvement faisaient encore défaut. Les utopistes fondateurs de sectes, alors qu'ils décrivaient clairement, dans la critique de la société de leur temps, le but du mouvement social — l'abolition du salariat ainsi que de toutes les conditions économiques de la domination de classe — ne trouvaient ni, dans la société même, les conditions matérielles de sa transformation, ni, dans la classe ouvrière, le pouvoir organisé et la conscience du mouvement. Ils essayaient de pallier l'immaturité des conditions historiques du mouvement par des tableaux et des plans fantastiques d'une nouvelle société et voyaient dans la propagande de ceux-ci le véritable moyen de salut. A partir du moment où le mouvement de la classe ouvrière devint une réalité les chimères utopiques s'évanouirent, non point parce que la classe ouvrière abandonnait le but auquel tendait ces utopistes, mais parce qu'*elle avait découvert les moyens réels d'en faire une réalité,* parce qu'à la place des projections de l'imagination elle avait une perception réelle des conditions historiques du mouvement et une force de plus en plus grande pour une organisation militaire de sa classe [38].

particulièrement tranchante au cours des crises et des révolutions. C'est alors que les successeurs des utopistes doivent faire le saut, dans un camp ou dans un autre, bourgeois ou marxiste.

38. En fait, la Commune devait commencer par remporter une victoire avec des moyens violents avant de réaliser la transformation communiste de la société : « La Commune ne supprima pas la lutte des classes, grâce à laquelle la classe ouvrière s'efforce d'abolir toutes les classes et, donc, toute domination de classe [...], mais elle créa le stade rationnel à partir duquel cette lutte des classes pouvait passer par ses différentes phases de la manière la plus rationnelle et la plus humaine. La Commune devait être le point de départ de réactions violentes et de révolutions tout aussi violentes. » *(ibid.).*

Quoi qu'il en soit, les deux buts ultimes du mouvement qu'ont proclamés les utopistes sont ceux que proclament la révolution de Paris et l'Internationale [39]. Seulement les moyens diffèrent, et les conditions réelles du mouvement ne se perdent plus dans les nuages des faibles utopistes. En interprétant les tendances socialistes hautement proclamées par cette révolution, ces amis condescendants du prolétariat ne sont donc que les dupes de leur propre ignorance. Ce n'est pas la faute du prolétariat parisien si, pour ces gens-là, les créations utopiques des prophètes du mouvement ouvrier représentent toujours la « révolution sociale », autrement dit, si la révolution sociale est toujours « utopique » pour eux.

Si l'on considère le contenu réel de ces ouvrages, qui prônent la mise en place du système moderne de crédit en Angleterre et en font le commentaire théorique, on n'y trouvera qu'une exigence : tenter de subordonner le capital porteur d'intérêt, et en général les moyens de production susceptibles d'être prêtés, au mode de production capitaliste pour en former une des conditions. Si l'on considère ces écrits, on sera souvent surpris de voir combien ces théories concordent, jusque dans la formulation, avec les illusions des saint-simoniens sur la banque et le crédit [40].

De même que, chez les physiocrates, le *cultivateur* ne signifie pas le paysan réel, mais le *gros fermier,* de même le *travailleur* chez Saint-Simon, et bien souvent aussi chez

---

39. Dans sa polémique avec Bakounine, dans *Les Prétendues Scissions dans l'Internationale,* Marx définit ce but commun des utopistes et des communistes : « L'anarchie, tel est le grand cheval de bataille avec lequel parade leur maître Bakounine, qui ne fait que reprendre les têtes de chapitre de tous les systèmes socialistes. Tous les socialistes entendent par *anarchie* ceci : lorsque le but du mouvement prolétarien est atteint, à savoir l'abolition des classes, alors le pouvoir de l'Etat, qui sert à tenir la grande majorité des producteurs sous le joug d'une minorité d'exploiteurs peu nombreuse, disparaîtra, et les fonctions gouvernementales se transformeront en de simples fonctions d'administration. L'Alliance (bakouniniste) prend les choses par l'autre bout. Elle proclame l'anarchie dans les rangs des prolétaires comme le moyen le plus infaillible de briser les gigantesques moyens du pouvoir politiques et sociaux concentrés dans les mains des exploiteurs. »
40. Cf. MARX, *Le Capital,* III, chap. XXXVI.

ses disciples, le travailleur ce n'est pas l'*ouvrier*, mais le *capitaliste industriel et commercial* : « Un travailleur a besoin d'aides, de seconds, d'*ouvriers ;* il les cherche intelligents, habiles, dévoués ; il les met à l'œuvre et leurs travaux sont productifs. » (*Religion saint-simonienne. Economie politique et Politique*, Paris, 1831, p. 104.)

Il ne faut pas oublier que c'est seulement dans son dernier ouvrage, *Le Nouveau Christianisme*, que Saint-Simon se présente directement comme le porte-parole de la classe laborieuse, dont l'émancipation est le but final de ses efforts. Tous ses écrits antérieurs ne sont en fait que la glorification soit de la société bourgeoise moderne qu'il oppose à la société féodale, soit des industriels et des banquiers en opposition aux maréchaux et faiseurs de lois et d'actes juridiques de l'époque napoléonienne. Quelle différence si on les compare aux ouvrages d'Owen de la même époque [41] ! Même chez les successeurs — la citation le prouve — le capitaliste industriel demeure le *travailleur par excellence*. Si on lit leurs œuvres d'un œil critique, on ne s'étonnera pas que leurs rêves de crédit et de banque aient abouti au Crédit mobilier fondé par l'ex-saint-simonien Emile Péreire [42] ; au

_____

41. Afin d'éviter que ce texte ne discrédite Saint-Simon, Engels inséra la note suivante ici : « Il ne fait pas de doute qu'en préparant son manuscrit pour la publication, Marx aurait encore modifié considérablement ce passage. Il est frappé par le rôle des ex-saint-simoniens en France, sous le Second Empire ; juste à l'époque où Marx écrivait ce qu'on vient de lire, les fantastiques illusions de l'école sur le pouvoir du crédit, qui devait assurer le salut du monde, se réalisaient, par l'ironie de l'histoire, sous la forme d'une spéculation, d'une ampleur inouïe jusqu'alors. Par la suite, Marx n'a jamais parlé qu'avec admiration du génie et du cerveau encyclopédique de Saint-Simon. Si celui-ci a ignoré, dans ses premiers écrits, l'opposition entre la bourgeoisie et le prolétariat, qui commençait seulement à naître en France, à cette époque-là, s'il a classé dans les travailleurs la fraction de la bourgeoisie qui s'occupait de la production, cela correspond aux conceptions de Fourier, qui voulait réconcilier le capital et le travail, et s'explique par la situation économique et politique de la France d'alors. Si Owen eut, en l'occurrence, de plus vastes perspectives, c'est qu'il vivait dans un autre milieu, au cœur de la révolution industrielle et des oppositions de classe qui déjà s'accusaient. »

42. Comme Marx ne cessera de le répéter dans la Première Internationale et plus tard contre les anarchistes, la question de l'Etat — la dictature du prolétariat — est au centre de tous les

demeurant, ce genre d'établissement ne pouvait jouer un rôle prédominant que dans un pays comme la France, où le système de crédit, pas plus que la grande industrie ne s'étaient développés encore au niveau moderne. En Angleterre et en Amérique pareille chose eût été impossible. — Dans les passages suivants de la *Doctrine de Saint-Simon. Exposition. Première année*, 1828-1829, 3e édition, Paris, 1831, on trouve déjà en germe le *Crédit mobilier*. Il est clair que le banquier peut prêter de l'argent à meilleur compte que le capitaliste et l'usurier particulier. Ces banquiers peuvent donc « procurer aux industriels des instruments à bien meilleur marché, c'est-à-dire *à plus bas intérêt* que ne pourraient le faire les propriétaires et les capitalistes, plus exposés à se tromper dans le choix des emprunteurs » (p. 202).

Mais les auteurs notent eux-mêmes : « L'avantage qui devrait résulter du rôle d'intermédiaire des banquiers entre les oisifs et les travailleurs est souvent contrebalancé, et même détruit, par les facilités que notre société désorganisée offre à l'égoïsme de se produire sous les formes diverses de la fraude et du charlatanisme : les banquiers se placent souvent entre les travailleurs et les oisifs, pour exploiter les uns et les autres, au détriment de la société tout entière. »

Travailleur correspond ici au *capitaliste industriel*. Au reste, il serait faux de penser que les moyens dont disposent les banques modernes ne proviennent que des oisifs. Premièrement, il est une fraction du capital qu'industriels et commerçants laissent provisoirement sans emploi et conservent sous forme monétaire, comme réserve d'argent ou de capital destiné à être investi ; c'est donc du capital oisif, mais non du capital d'oisifs. Deuxièmement, il y a la part du revenu de tous et de l'épargne, destinée à être accumulée, de façon permanente ou transitoire. Or, ces deux sortes de capitaux sont essentielles pour former le système bancaire. [...]

Enfin, il ne fait aucun doute que le système de crédit est un puissant levier pour le passage du mode de production capitaliste au système de production fondé sur le travail associé. Cependant, il ne saurait être qu'*un* élément en

---

problèmes économiques : selon que la bourgeoisie applique les idées saint-simoniennes, le résultat en sera le Crédit mobilier, et selon que le communisme prolétarien l'appliquera, ce sera des mesures positives de transition au socialisme.

connexion avec d'autres grands bouleversements organiques du mode de production lui-même. En revanche, les illusions sur le pouvoir miraculeux qu'aurait le système de crédit et des banques d'agir en sens socialiste proviennent d'une méconnaissance totale tant du mode de production capitaliste que du système du crédit qui n'est qu'une de ses formes. Dès que les moyens de production ont cessé de se transformer en capital (ce qui implique aussi l'abolition de la propriété foncière privée), le crédit, en tant que tel, n'a plus de raison d'être. Au reste, des saint-simoniens l'avaient compris. D'autre part, tant que subsiste le mode de production capitaliste, le capital porteur d'intérêt continue lui aussi à subsister comme une de ses formes et constitue pratiquement la base de son système de crédit.

Dans *La Religion saint-simonienne. Economie politique et Politique,* on lit à la page 45 : « Le crédit a pour but, dans une société où les uns *possèdent* les instruments d'industrie sans avoir capacité ou volonté de les mettre en œuvre, et où d'autres, qui sont industrieux, ne *possèdent* pas d'instruments de travail, de faire passer le plus facilement possible ces instruments des mains des premiers, qui les possèdent, dans celles des seconds, qui savent les mettre en œuvre.

Notons, d'après cette définition, que le crédit découle de la forme dont la *propriété* est constituée. »

Donc, le crédit doit disparaître dès que se forme cette espèce de propriété. Il est dit en outre, p. 98 : « [Les banques actuelles] se considèrent comme destinées à suivre le mouvement que les transactions opérées hors de leur sein leur impriment, mais non à le donner elles-mêmes ; en d'autres termes, les banques remplissent près des *travailleurs* auxquels elles prêtent des capitaux le rôle de capitalistes. »

Le monstre du crédit gratuit, cette prétendue réalisation du vœu pieux petit-bourgeois, ne pouvait germer que dans la cervelle de cet écrivain à sensation qu'est Proudhon, qui voulait laisser subsister la production marchande tout en éliminant l'argent.

L'idée du *Crédit mobilier* découle de la conception selon laquelle les banques doivent assurer la direction de l'économie et se distinguer « par le nombre et l'utilité des établissements commandités, des travaux excités par lui » (p. 101). C'est ainsi que Constantin Pecqueur demande que les banques (ce que les saint-simoniens appellent « système général des banques ») « gouvernent la production ». D'une façon générale, Pecqueur est pour l'essentiel saint-simonien, bien que beaucoup plus radical. Il réclame en effet que « l'institution de crédit... gouverne tout le mouvement de la production nationale ».

« Essayez de créer une institution nationale de crédit qui commandite la capacité et le mérite non propriétaires, sans relier forcément les commandités par une intime solidarité dans la production et la consommation, mais au contraire en les laissant gouverner eux-mêmes leurs échanges et leurs productions. Vous n'obtiendrez que ce qu'obtiennent jusqu'ici les banques privées : l'anarchie, la disproportion entre la production et la consommation, la ruine subite des uns, et la fortune subite des autres ; de telle sorte que votre institution n'ira jamais au-delà de produire une somme de prospérité pour les uns, égale à la somme de ruine supportée par les autres... Seulement, vous aurez offert aux salariés que vous commanditerez les moyens de se livrer entre eux une concurrence analogue à celle que se livrent les maîtres bourgeois [43]. »

Dans les *sociétés par actions,* la fonction est séparée de la propriété du capital [44]. En conséquence, le travail, lui

---

43. C. PECQUEUR, *Théorie nouvelle d'économie sociale et politique,* Paris, 1842, pp. [433]-434.
44. Cf. MARX, *Le Capital,* III, in *Werke,* 25, pp. 453-456.
Nous passons maintenant à l'examen de diverses formes dialectiques de transition, exprimant, d'une part, un côté négatif lié au développement capitaliste, d'autre part, un côté positif qui annonce et prépare la société communiste. Il faut, en quelque sorte, procéder par élimination dynamique pour trouver au travers de ces diverses formes — en l'occurrence, les sociétés par actions et les coopératives ouvrières — l'évolution qui mène vers le communisme.
Avec les sociétés par actions et les coopératives ouvrières, nous sommes d'une certaine manière au point de jonction entre le développement réel de la société capitaliste qui amène déjà à la concentration et entame largement le processus de l'expropriation des (petits et moyens) propriétaires qu'achèvera le communisme, d'une part, et la forme d'organisation de rapports communistes dans la production, imaginée à l'aube du capitalisme par les utopistes. Il s'agit, pour le marxisme, de relier ces deux acquis pour régénérer la société entière dans son évolution réelle, toute contradictoire qu'elle soit encore.

aussi, est entièrement séparé de la propriété des moyens de production et du surtravail. C'est là le résultat du développement suprême de la production capitaliste, un point nécessaire de transition vers la retransformation du capital en propriété des producteurs — non plus en propriété privée des différents producteurs séparés, mais en propriété des producteurs associés sous forme de propriété directement sociale. En outre, elles représentent le point de transition vers la transformation de toutes les fonctions impliquées dans le procès de reproduction et rattachées jusqu'alors à la propriété capitaliste en simples fonctions de producteurs associés, qui sont des fonctions sociales...

Il s'agit cependant d'une abolition du mode de production capitaliste qui s'effectue encore dans le cadre du mode de production capitaliste lui-même, et c'est donc une contradiction s'abolissant elle-même et qui représente manifestement un *simple point de transition* vers une forme de production nouvelle. Sa forme, elle, reflète aussi cette contradiction. C'est dans certaines sphères l'expression du monopole et donc l'exigence de l'immixtion de l'Etat. La forme des sociétés par actions reproduit en outre une nouvelle aristocratie financière, une variété nouvelle de parasites sous forme de faiseurs de plans, de fondateurs et de directeurs purement nominaux — tout un système d'escroqueries et de fraudes lié au lancement de nouvelles affaires, d'émission et de commerce des actions. C'est de la production privée sans le contrôle de la propriété privée.

Abstraction faite du système des actions, c'est-à-dire d'une abolition de l'industrie privée sur la base du système capitaliste lui même qui, dans la mesure même où il s'étend et gagne des sphères de production nouvelles, détruit l'industrie privée, le crédit offre au capitaliste particulier ou à celui qui vaut comme capitaliste, un moyen — au sein de limites bien déterminées — de disposer de manière absolue du capital et de la propriété d'autrui, et partant du travail d'autrui. Or en disposant de capital social, et non plus seulement de son capital individuel propre, il dispose du travail social. Le capital lui-même que l'on possède réellement ou seulement dans l'idée du public, n'est plus que la base de la superstructure du crédit. Cela s'applique particulièrement au commerce de gros entre les mains duquel passe la majeure partie du produit social. Tous les critères et mesures ainsi que toutes les explications encore fondées au sein du mode de production capitaliste n'ont plus cours ici. Ce que le gros marchand spécule ce n'est pas *sa* propriété, mais celle de la société...

L'expropriation s'étend ici du producteur immédiat au petit et moyen capitaliste lui-même. Cette expropriation est le point de départ du mode de production capitaliste ; sa réalisation est son but, à savoir, en dernière instance, l'expropriation de tous les individus particuliers possédant des moyens de production. Ces derniers cessent en effet, avec le développement de la production sociale, d'être des moyens et des produits de la production privée. Ce ne sont plus que des moyens de production entre les mains de producteurs associés — ils peuvent donc devenir leur propriété SOCIALE, comme leur produit est social.

Cependant cette expropriation s'effectue au sein du système capitaliste lui-même sous forme contradictoire, comme appropriation de la propriété sociale par quelques individus — et le crédit donne de plus en plus à ceux-ci le simple caractère d'hommes comblés. Comme la propriété existe ici sous la forme de l'action, son mouvement et son transfert deviennent simple résultat du jeu en Bourse, où les petits poissons sont dévorés par les requins et les moutons par les loups de la Bourse. On trouve déjà dans le système des actions l'opposition à la vieille forme sous laquelle des moyens de production sociaux apparaissent comme propriété individuelle. Cependant la transformation en action reste encore prisonnière des entraves capitalistes. En conséquence, au lieu de surmonter la contradiction entre le caractère social de la richesse et l'appropriation privée de la richesse, il ne fait que la reproduire sous une forme nouvelle.

Les *fabriques coopératives des travailleurs* représentent, à l'intérieur même de l'ancienne société, la première percée au travers des formes anciennes, bien qu'elles reproduisent forcément partout, dans la réalité de leur organisation, toutes les défectuosités du système existant. Il n'en reste pas moins que, dans leur sein, il y a suppression de l'antagonisme entre le capital et le travail, bien que ce soit tout d'abord sous la forme que les travailleurs, en tant qu'association, sont leur propre capitaliste, c'est-à-dire utilisent les moyens de production à la mise en valeur de leur propre travail. Ces coopératives montrent comment, à un certain niveau de développement des forces productives et des formes de production sociales correspondantes, un mode de production engendre et développe naturellement un mode de production nouveau [45].

Sans le système de fabrique, issu du mode de production capitaliste, la fabrique coopérative n'aurait pu se développer, pas plus que le système du crédit né du même mode de production. Le système du crédit, bien qu'il forme la base de la transformation progressive des entreprises capitalistes privées en sociétés capitalistes par actions, offre au même titre les moyens pour l'extension progressive des coopératives à une échelle plus ou moins nationale. Les sociétés capitalistes par actions doivent être considérées — au même titre que les sociétés coopératives — comme des formes de transition entre le mode de production capitaliste et la production associée, avec cette différence que l'antagonisme est aboli de manière négative dans les premières, et positive dans les secondes.

Jusqu'ici nous avons examiné l'évolution du système de crédit — de même que l'abolition de la propriété capitaliste qu'il renferme de façon latente —, en considérant surtout le capital industriel...

Si le système de crédit peut apparaître comme le levier principal de la surproduction et de la surspéculation dans le commerce, c'est seulement parce que le procès de reproduction, par nature élastique, se trouve tendu grâce à lui jusqu'à l'extrême limite, étant donné qu'une grande partie du capital social est utilisée par ceux qui ne le possèdent pas et qui, par conséquent, se lancent dans des entreprises bien autrement vastes que le propriétaire qui, — s'il est lui-même actif — suppute craintivement les limites de son capital privé. Il en résulte simplement que la valorisation du capital basée sur le caractère contradictoire de la production capitaliste ne permet le développement véritablement

---

45. La gestion économique de la production incombera, après la conquête du pouvoir, aux associations économiques des ouvriers, et parmi celles-ci les syndicats révolutionnaires : c'est la combinaison dialectique des efforts d'Owen pour créer des syndicats et des coopératives de production et de distribution, mais au niveau de l'auto-activité de toute la classe organisée. Cf. MARX-ENGELS, *Le Syndicalisme*, t. I, pp. 64-67 et note 52, pp. 108-110.

En ce qui concerne l'appréciation par Engels du rôle syndical d'Owen, cf. MARX-ENGELS, *Les Utopistes*, Petite Collection Maspero, 1976.

libre que jusqu'à un certain degré et constitue, en réalité, une entrave immanente et une barrière à la production, que le sytème de crédit s'efforce sans cesse de surmonter. Celui-ci accélère, par conséquent, le développement matériel des forces productives et la constitution du marché mondial ; la tâche historique de la production capitaliste est justement de pousser jusqu'à un certain degré le développement de ces deux facteurs, base matérielle de la nouvelle forme de production communiste. Le crédit accélère en même temps les explosions violentes qui dissolvent l'ancien mode de production.

Les deux aspects de la caractéristique immanente du système de crédit sont les suivants : d'une part, développer le moteur de la production capitaliste, c'est-à-dire l'enrichissement par exploitation du travail d'autrui pour en faire le système le plus pur et le plus monstrueux de spéculation et de jeu, tout en limitant de plus en plus le petit nombre de ceux qui exploitent les richesses sociales ; mais, d'autre part, constituer la forme de transition vers un nouveau mode de production. C'est ce double aspect qui donne aux principaux défenseurs du crédit — de Law jusqu'à Isaac Péreire — leur caractère agréablement mitigé d'escrocs et de prophètes.

Suppression des barrières de races, de langues, de la famille et des nations

Le bourgeois peut d'autant plus aisément démontrer que la langue s'identifie aux rapports mercantiles et individuels, voire même humains en général, que cette langue est elle-même un produit de la bourgeoisie, autrement dit que dans la réalité comme dans la langue les rapports de trafic sont devenus la base de tous les autres rapports [46]. Par exemple :

46. Cf. MARX-ENGELS, *L'Idéologie allemande,* in *Werke* 3, p. 412, 410.
Les textes de Marx sur la langue ont été commentés par Ulrich ERCKENBRECHT, *Marx materialistische Sprachtheorie,* suivi d'un index des œuvres de Marx-Engels (Scriptor Taschenbücher, Kronberg TS, 1974, 337 p.).
Le marxisme voit dans la langue d'abord une force productive, puisqu'il s'agit d'un moyen de communication fondamental, et

propriété au sens de faculté et propriété au sens de possession, « propre » en sens mercantile et en sens individuel ; valeur au sens monétaire et au sens moral, commerce et échange au sens du marché et au sens des relations —, tous ces termes exprimant des rapports et des propriétés touchant à la fois le commerce et l'individu. Dans toutes les langues modernes, on retrouve le même phénomène.

Les langues perdent leur caractère primitif dans toute langue moderne développée, en partie par l'évolution historique des langues nées à partir d'éléments traditionnels — comme dans les langues romanes et germaniques —, soit par le croisement et le mélange de nations — comme dans l'anglais —, soit par la concentration économique et politique, à l'intérieur d'une nation, des dialectes en une langue nationale. Il va de soi que le temps viendra où la langue — produit de l'espèce humaine — sera, elle aussi, soumise au contrôle parfait des individus [47].

De même que Sancho a expliqué jusqu'ici toutes les mutilations des individus et donc de leurs conditions sociales par son idée fixe de maître d'école, sans se préoccuper jamais de la façon dont ces idées sont nées et se sont développées, de même explique-t-il maintenant cette mutilation à partir d'un processus purement naturel de développement. Il ne se doute pas le moins du monde que la capacité de développement des enfants dépend de la formation des parents, et que toutes les mutilations des individus sont un produit historique des conditions de vie existant jusqu'ici et donc qu'elles peuvent tout aussi bien être de nouveau éliminées au cours de l'histoire. Même les différences naturelles de

---

secondairement une superstructure idéologique, pour ce qui est de ses évolutions particulières dans le temps et l'espace. La langue évolue essentiellement en fonction des modes de production successifs, cf. à ce propos « Facteurs de race et de nation dans la théorie marxiste », *Fil du temps*, n° 5, chap. « *Staline et la linguistique* » et « *Thèse idéaliste de la langue nationale* », p. 39-45.

47. La conclusion évidente de tout l'exposé de Marx sur l'abolition de la division du travail par l'appropriation unitaire de tous les moyens de production matériels et intellectuels et leur subordination à la collectivité unique est que le communisme engendrera par un processus matériel, intellectuel, économique et social une langue nouvelle et internationale, commune à toute l'espèce humaine. On peut concevoir de même le processus de l'évolution raciale.

l'espèce humaine, telles que différences de race, etc., dont Sancho ne parle jamais, peuvent et doivent être éliminées au cours de l'histoire. Sancho, qui à cette occasion jette un coup d'œil en coin sur la zoologie et découvre en même temps que les « têtes bornées qui naissent » ne forment pas seulement la classe la plus nombreuse chez les moutons et les bœufs, mais encore chez les polypes et les infusoires. Il semble que Sancho n'ait jamais entendu parler de ce que l'on annoblit aussi des races animales et que l'on produit par croisement de races des espèces tout à fait nouvelles et plus parfaites, tant pour la jouissance des hommes que pour leur propre jouissance. « Pourquoi ne devrait-il pas », notre Sancho, en tirer une conclusion qui se rapporte aux hommes ?

L'idée de fondre toute la société en groupes formés librement appartient à Fourier [48], et elle a été revue et corrigée ici par Stirner d'après ce qu'il en a ouï dire à Berlin [49].

_____

48. Cf. FOURIER, *Théorie de l'Unité universelle,* in : *Œuvres complètes,* Paris, 1841-1845, vol. 2-5. Cet ouvrage constitue une refonte ultérieure du *Traité de l'association domestique-agricole.*
49. Ce passage est extrait de MARX-ENGELS, *L'Idéologie allemande,* t. I, « Saint Max », III, 6 E.
La question de la femme et la critique de la famille ont été l'une des faces les plus importantes de l'œuvre de Fourier, et le point de vue marxiste sur ces mêmes sujets donne un exemple éloquent de l'étroite filiation entre l'utopisme des grands classiques et le communisme moderne.
Fourier ne manque jamais de partir de la critique corrosive des conditions existantes, et celle-ci demeure parfaitement valable pour Marx-Engels, puisqu'ils se réfèrent souvent, dans leurs œuvres, à Fourier comme à une autorité scientifique en bien des points essentiels, tels que celui de la femme. Le dialecticien Fourier ne critique pas seulement les conditions de la société bourgeoise, mais il a encore une vision aiguë des rapports des sociétés successives, dont il juge la qualité d'après les liens qui unissent la femme et l'homme, ce qui témoigne d'un esprit particulièrement pénétrant et sensible : « Il est le premier à avoir énoncé que, dans toutes les sociétés, le degré d'émancipation de la femme est la mesure naturelle de l'émancipation générale » (ENGELS, *Anti-Dühring*).
Le seul point où le marxisme complète Fourier, c'est dans la réalisation pratique de l'émancipation humaine, dont les conditions n'étaient pas encore mûres à l'époque de Fourier. Il voit le cercle vicieux des relations bourgeoises, mais ne peut encore indiquer quels sont les moyens de les surmonter et de réaliser

Cependant chez Fourier, cette conception implique un révolutionnement complet de la société et repose sur la critique des « associations » existantes que Sancho admire tant malgré tout l'ennui qui s'en dégage. Fourier dépeint ces tentatives de divertissement actuelles en rapport avec les conditions existantes de production et de distribution, et il polémique contre elles. Bien loin de les critiquer, Sancho veut les transplanter avec tiges et feuilles dans son nouvel ordre social, destiné à faire le bonheur des gens et qu'il appelle l'« entente » : il ne fait que démontrer par là, une fois de plus, à quel point il est prisonnier de la société bourgeoise existante.

Les fermiers savent, par expérience, que les femmes ne font tous leurs efforts que sous le commandement des hommes et que les jeunes filles et les enfants, une fois en train, dépensent leurs forces, ainsi que l'a remarqué Fourier, avec fougue, en prodigues, tandis que l'ouvrier mâle adulte cherche, en vrai sournois, à économiser les siennes [50]...

Les vices de ce système sont l'excès de travail imposé aux enfants et aux jeunes gens, les marches énormes qu'il leur faut faire chaque jour pour se rendre à des fermes éloignées de cinq, six et quelquefois sept milles, et pour en

---

les conditions de l'épanouissement tel qu'il le conçoit, avec son intuition communiste. Ainsi Engels écrivait, par exemple :

« La contradiction entre production sociale et appropriation capitaliste se reproduit comme *opposition entre l'organisation de la production dans chaque fabrique et l'anarchie de la production dans l'ensemble de la société.*

« C'est dans ces deux formes contradictoires qui sont immanentes au mode de production capitaliste depuis son origine que se meut ce mode de production. En effet, le capital décrit sans pouvoir en sortir ce « cercle vicieux » que Fourier découvrait déjà en lui. Cependant, ce que Fourier ne pouvait encore voir en son temps, c'est que ce cercle se rétrécit peu à peu et que le mouvement représente plutôt une spirale, laquelle, comme celle des planètes, doit finir par entrer en collision avec le centre. C'est la force motrice de l'anarchie sociale de la production qui transforme de plus en plus la grande majorité des hommes en prolétaires, et ce sont à leur tour les masses prolétariennes qui finiront par mettre un terme à l'anarchie de la production. » (ENGELS, *Anti-Dühring*, in *Werke*, 20, p. 255.)

50. Cf. MARX, *Le Capital*, I, chap. « La loi générale de l'accumulation primitive ».

revenir ; enfin, la démoralisation de la troupe ambulante. Bien que le chef de bande, qui porte en quelques endroits le nom de *driver* (piqueur, conducteur), soit armé d'un long bâton, il ne s'en sert néanmoins que rarement, et les plaintes de traitement brutal sont l'exception. Comme le preneur de rats de la légende, c'est un charmeur, un empereur démocratique. Il a besoin d'être populaire parmi ses sujets et se les attache par les attraits d'une existence de bohême — vie nomade, absence de toute gêne, gaillardise bruyante, libertinage grossier. Ordinairement la paye se fait à l'auberge au milieu de libations copieuses. Puis, on se met en route pour retourner chez soi. Titubant, s'appuyant de droite et de gauche sur le bras robuste de quelque virago, le digne chef marche en tête de la colonne, tandis qu'à la queue la jeune troupe folâtre et entonne des chansons moqueuses ou obscènes. Ces voyages de retour sont le triomphe de la phanérogamie [51], comme l'appelle Fourier. Il n'est pas rare que des filles de treize ou quatorze ans deviennent grosses du fait de leurs compagnons du même âge.

M. Szeliga fait retentir ses *fanfares* [52] : « *Voilà !... pensez donc !...* Rodolphe !... Comparez donc *ses idées à vos fantasmes sur l'émancipation de la femme.* Le fait de cette émancipation, on peut *presque* le toucher du doigt ici, tandis que vous êtes, de nature, bien trop pratiques et connaissez par suite tant d'échecs dans vos simples tentatives. »

En tout cas, nous devons à M. Szeliga la révélation de ce mystère : un fait peut presque être touché du doigt dans les idées. Quant à sa plaisante façon de comparer Rodolphe aux hommes qui ont professé l'émancipation de la femme, on n'a qu'à comparer les *idées* de Rodolphe avec les fantaisies de *Fourier,* qui écrit par exemple :

« L'adultère, la séduction font honneur aux séducteurs et sont de bon ton... Mais, pauvre jeune fille ! l'infanticide, quel crime ! Si elle tient à son honneur, il faut qu'elle fasse disparaître les traces du déshonneur ; et si elle sacrifie ses enfants aux préjugés du monde, elle est déshonorée davan-

---

51. Cf. Charles FOURIER, *Le Nouveau Monde industriel et sociétaire,* Paris, 1829, section 5, compléments au chapitre 36 et section 6, résumé.
52. Cf. MARX, *La Sainte Famille,* chap. VIII, § 8.

tage encore et tombe sous les préjugés de la loi... Tel est le *cercle vicieux* que décrit tout mécanisme civilisé. »

« La jeune fille n'est-elle pas une marchandise exposée à qui veut en négocier l'acquisition et la propriété exclusive ?... De même qu'en grammaire deux négations valent une affirmation, l'on peut dire qu'en négoce conjugal *deux prostitutions valent une vertu.* »

« Le changement d'une époque historique se laisse toujours déterminer en fonction du progrès des femmes vers la liberté, parce que c'est ici, dans le rapport de la femme avec l'homme, du faible avec le fort, qu'apparaît de la façon la plus évidente la victoire de la nature humaine sur la brutalité. Le degré de l'émancipation féminine est la mesure naturelle du degré de l'émancipation générale. »

« L'avilissement du sexe féminin est un trait essentiel à la fois de la civilisation et de la barbarie, avec cette seule différence que l'ordre civilisé élève chacun des vices que la barbarie pratique en mode simple, à un mode d'existence composé, à double sens, ambigu et hypocrite... Personne n'est plus profondément puni que l'homme du fait que la femme est maintenue dans l'esclavage. » *(Fourier.)*

Il est superflu, face aux idées de Rodolphe, de renvoyer à la caractéristique magistrale que Fourier nous donne du *mariage,* ainsi qu'aux écrits de la fraction matérialiste du communisme français.

Un point essentiel encore : je dois démontrer de quelle manière géniale Fourier a anticipé Morgan sur tant de points [53]. La critique que Fourier a adressée à la civilisation n'apparaît dans toute sa lumière que chez Morgan. Or cela réclame beaucoup de travail.

J'avais d'abord l'intention de placer la brillante critique de la civilisation qui se trouve, éparse, dans les œuvres de Charles Fourier, à côté de celle de Morgan et de la mienne [54]. Hélas, le temps m'a manqué pour cela. Je noterai seulement que, déjà chez Fourier, la monogamie et la propriété foncière sont considérées comme les traits caractéristiques de la civilisation et qu'il appelle celle-ci une guerre des riches contre les pauvres. De même, on trouve déjà chez lui

---

53. Cf. Lettre d'Engels à Karl Kautsky, 26 avril 1884.
54. Cf. ENGELS, *L'Origine de la famille...,* chap. IX, dernière note d'Engels.

cette vue profonde que dans toutes les sociétés défectueuses
déchirées par les antagonismes, les familles conjugales (« les
familles incohérentes ») constituent des unités économiques.

Comme si ce n'était pas là crime suffisant pour interdire
à l'école officielle d'agir autrement qu'en l'écartant froide-
ment, Morgan dépasse la mesure non seulement en criti-
quant la civilisation, la société de la production marchande,
forme-mère de notre société actuelle, d'une façon qui
rappelle Fourier, mais encore en parlant d'une transformation future de cette société en termes qu'aurait pu énoncer
Karl Marx [55]. C'est donc bien fait pour lui si Mac Lennan,
indigné, lui jette au visage que « la méthode historique lui
est parfaitement antipathique » !

A tous les mariages de convenance s'applique le mot de
Fourier [56] : « De même qu'en grammaire deux négations
valent une affirmation, en morale conjugale, deux prostitutions valent une vertu [57]. »

L'amour sexuel ne peut être et n'est règle véritable des
relations avec la femme que dans les classes opprimées,
c'est-à-dire, de nos jours, dans le prolétariat — que ces
relations soient ou non officiellement sanctionnées. Ici tous
les fondements de la monogamie classique sont sapés : on
n'y trouve aucune propriété, pour la conservation et la
transmission de laquelle furent précisément instituées la
monogamie et la suprématie de l'homme. Bref, il y
manque tout stimulant pour faire valoir la suprématie
masculine. Qui plus est, les moyens mêmes de la faire
valoir y font défaut. Le droit bourgeois, qui protège cette
suprématie, n'existe que pour les possédants et pour leurs
rapports avec les prolétaires ; il coûte cher et, faute d'argent,
n'a donc point de validité pour favoriser la position de
l'ouvrier vis-à-vis de sa femme. En l'occurrence, ce sont
de tout autres rapports personnels et sociaux qui décident.
Et de surcroît, depuis que la grande industrie a arraché la
femme à la maison, l'a envoyée sur le marché du travail
et dans la fabrique, et a fait d'elle très souvent le soutien
de la famille — toute base a été enlevée, dans la maison du
prolétaire, à l'ultime vestige de la suprématie masculine —
sauf, peut-être encore, un reste de la brutalité envers les

55. Cf. *ibid.*, préface de 1891.
56. Cf. *ibid.*, chap. II.
57. FOURIER, *Théorie de l'unité universelle.*

femmes qui est entrée dans les mœurs avec l'introduction de la monogamie.

Abolition de la famille ! Même les plus radicaux s'insurgent contre ce monstrueux projet des communistes [58].

Sur quoi repose la famille d'aujourd'hui, la famille bourgeoise ? Sur le capital et le mode privé d'acquisition. La famille, à l'état achevé, n'existe que pour la bourgeoisie, mais elle trouve son complément nécessaire dans l'absence d'une vie de famille chez les prolétaires et dans la prostitution publique.

La famille bourgeoise disparaît naturellement en même temps que tombe son complément, et tous deux s'éteignent en même temps que le capital.

Nous reprochez-vous de vouloir mettre fin à l'exploitation des enfants par leurs parents ? Nous avouons ce crime.

Mais alors, dites-vous, vous brisez les liens les plus intimes, en substituant à l'éducation familiale l'éducation sociale. Or, votre éducation n'est-elle pas, elle aussi, conditionnée par la société ? Par les rapports sociaux dans lesquels vous pratiquez l'éducation, par l'intrusion directe ou indirecte de la société dans l'école, etc. ? Les communistes n'inventent pas cette influence de la société sur l'éducation, ils n'en font que changer le caractère, en arrachant l'éducation à l'influence de la classe dirigeante.

La phraséologie bourgeoise sur la famille et l'éducation, sur les doux liens qui unissent parents et enfants, devient d'autant plus écœurante que la grande industrie déchire de plus en plus tous les liens de famille chez les prolétaires et transforme les enfants en simples objets de commerce, en simples instruments de travail.

Mais les communistes veulent introduire la communauté des femmes, hurle en chœur toute la bourgeoisie. Le bourgeois voit dans la femme un simple instrument de production. Il entend que les instruments de production soient exploités en commun, et ne peut naturellement s'imaginer le sort des femmes autrement qu'en appartenance commune. Il ne se doute pas qu'il s'agit précisément d'abolir la posi-

---

58. Cf. MARX-ENGELS, *Manifeste du Parti communiste,* in *Werke,* 4, p. 478-479. Ce texte complète les idées de Fourier sur la femme, la famille et l'éducation. Cf. MARX-ENGELS, *La Critique de l'éducation,* Maspero, 1976.

tion des femmes en tant que simples instruments de production.

Au reste, rien n'est plus grotesque que l'horreur ultra-morale qu'inspire à nos bourgeois la prétendue communauté officielle des femmes chez les communistes. Les communistes n'ont pas besoin d'introduire la communauté des femmes, elle a presque toujours existé. Nos bourgeois, non contents de ce que les femmes et les filles de leurs prolétaires sont à leur disposition — sans parler de la prostitution officielle —, trouvent leur principal plaisir à séduire mutuellement leurs épouses. Le mariage bourgeois est, en réalité, la communauté des femmes mariées. Tout au plus pourrait-on accuser les communistes de vouloir mettre, à la place d'une communauté de femmes hypocritement dissimulée, une autre qui serait franche et officielle. Au reste, il est évident qu'avec l'abolition du régime actuel de la production, la communauté des femmes qui en dérive, c'est-à-dire la prostitution officielle et inofficielle, disparaîtra.

On reproche, en outre, aux communistes de vouloir abolir la patrie, la nationalité [59].

Les ouvriers n'ont pas de patrie. On ne peut leur enlever ce qu'ils n'ont pas. Tout d'abord le prolétariat doit conquérir le pouvoir politique, s'ériger en classe dirigeante de la nation, se constituer lui-même en nation. Il est alors, par conséquent, encore national lui-même, quoique nullement au sens bourgeois.

Les particularités nationales et les contrastes entre les peuples disparaîtront de plus en plus avec le développement même de la bourgeoisie, la liberté du commerce, le marché mondial et l'uniformité de la production industrielle et des conditions d'existence qui y correspondent.

La domination du prolétariat les fera disparaître plus vite encore. L'action concertée, tout au moins des pays civilisés, est l'une des premières conditions de son émancipation.

A mesure que l'exploitation de l'homme par l'homme est abolie, l'exploitation d'une nation par une autre disparaît également. Au moment où l'antagonisme de classe à l'inté-

---

59. MARX-ENGELS, *Manifeste du Parti communiste*, in *Werke*, 4, p. 479.

Dans ce passage fondamental, le *Manifeste* explique que la forme *nationale* n'est qu'une forme contradictoire dans le *temps* pour passer des conditions limitées du capitalisme à l'universalité communiste.

rieur des nations aura disparu, les conflits entre les nations disparaîtront...

La lutte du prolétariat contre la bourgeoisie, sans être dans son contenu une lutte nationale, en revêt cependant tout d'abord la forme. Il va sans dire que le prolétariat de chaque pays doit en finir, avant tout, avec sa propre bourgeoisie.

III

Racines
de l'utopisme

« *Les revendications de l'égalité se ramènent à
rien d'autre qu'au Moi égal au Moi allemand,
traduit en français, c'est-à-dire en langage politique. Revendiquer l'égalité comme* fondement du
communisme, c'est le justifier politiquement. C'est
comme si l'Allemand justifiait son communisme
en représentant l'homme comme la conscience de
soi universelle. Il saute aux yeux que l'abolition
de l'aliénation part toujours de la forme de l'aliénation qui prédomine : en Allemagne de la
conscience de soi, en France politique de l'égalité, en Angleterre, c'est du besoin réel et matériel,
le besoin pratique étant sa propre mesure. C'est
de là qu'il faut partir pour critiquer et apprécier
Proudhon.*

Nous définissons le communisme
— *en tant que négation de la négation*
— *comme l'appropriation de la nature humaine
sociale, dont le moyen terme avec elle-même est
la négation de la propriété privée.* »

MARX,
Manuscrits économiques et philosophiques de 1844.

Plan d'étude combinant matérialistes bourgeois communistes et utopistes

Morelly	Cercle social	*Bentham*
Mably	Hebert	Godwin
Babeuf	Leroux	
Buonarotti	Leclerc	

Holbach		Helvetius
Fourier	*Owen* (Lalande)	*Saint-Simon*

Considérant	Ecrits de l'école
« Producteur », « Globe »	
Cabet	Dezamy, Gay
« Fraternité », « L'Egalitaire », etc.	« L'Humanitaire », etc.

Proudhon [1]

_____

1. Ce plan établi par Marx ordonne les utopistes selon leur affinité et filiation en trois échelons de développement historique, avec la dissolution finale de l'utopisme chez les disciples de Fourier et de Saint-Simon, et chez Proudhon. Ce plan a été retrouvé dans son cahier de notes des années 1844-47, où il figure aux premières pages, cf. MARX-ENGELS, *Gesamtausgabe* (MEGA), 1/5, p. 549. D'après les éditeurs de la MEGA, il renvoie à la lettre que nous publions ci-après ainsi qu'au texte de la *Sainte-Famille,* qui vient ensuite.

Marx-Engels donnent, en outre, le schéma suivant de l'évolution de l'utopisme jusqu'à Proudhon : « L'ouvrage de Proudhon se trouve donc scientifiquement dépassé par la critique de l'*économie politique,* y compris de l'économie politique telle qu'elle

Projet de publication des utopistes

En ce qui concerne la traduction (des utopistes), l'affaire n'est pas encore au point [2]. Je voulais faire traduire Fourier par quelques amis de Bonn sous mes yeux et sous ma direction, en laissant bien sûr de côté les absurdités cosmogoniques — et si l'éditeur était d'accord, cela eût constitué le premier élément de la bibliothèque socialiste que nous projetons de réaliser. J'ai eu l'occasion d'en parler à Bädeker, l'éditeur du *Gesellschaftsspiegel* ; et le projet semblait lui plaire, bien qu'il n'ait pas les fonds nécessaires pour une bibliothèque *d'une certaine ampleur*. Cependant si nous publions la traduction sous cette forme, il vaudrait mieux la confier à Leske ou à quelqu'un d'autre qui a les moyens de ce projet...

Pour en revenir à la bibliothèque, je me demande si l'ordre *historique* est le meilleur. Comme il faudrait faire alterner français et anglais, le fil de l'exposé serait sans cesse interrompu. De toute façon, je crois qu'il vaudrait mieux sacrifier en l'occurrence l'intérêt *théorique* à l'efficacité pratique, et commencer par les ouvrages qui offrent le plus de matière aux Allemands et sont le plus proches de nos principes, c'est-à-dire par les meilleurs écrits de Fourier,

---

apparaît dans la version proudhonienne. Mais ce travail n'est devenu possible que grâce à Proudhon lui-même, tout comme la critique de Proudhon implique celle du système des mercantilistes par les physiocrates, celle des physiocrates par Adam Smith, celle d'Adam Smith par Ricardo, ainsi que les travaux de Fourier et de Saint-Simon. » (*La Sainte-Famille*, MEGA, 1/5, p. 201.)

Ce dernier chapitre, quelque peu aride, fait la transition avec le recueil suivant (MARX-ENGELS, *les Utopistes*) qui démontre que la théorie marxiste ne se rattache pas aux idéologies bourgeoises, quelles qu'elles soient, mais s'en sépare radicalement, le socialisme utopique faisant écran entre les deux. Cette partie met en lumière l'intérêt fondamental de l'utopisme dans le développement historique du mouvement ouvrier.

2. Cf. Engels à Marx, 17 mars 1845.

Dans sa lettre du 7 mars 1845, Engels avait fait part à Marx de son intention de traduire Fourier dans la « Bibliothèque des meilleurs écrivains socialistes étrangers », cf. MARX-ENGELS, *Correspondance*, Editions sociales, Paris, 1971, t. I, p. 363. Cette lettre témoigne de la filiation étroite entre utopistes et marxistes.

Owen, Saint-Simon, etc.[3] — Morelly pourrait également trouver place assez vite au premier plan.

Il serait bon d'exposer très brièvement l'évolution historique dans une introduction générale, afin que le lecteur puisse s'y retrouver facilement, même si nous choisissons cet ordre de publication. Nous pourrions en faire l'introduction ensemble — tu traiterais de la France, et moi de l'Angleterre. Cela pourrait sans doute marcher, si — comme j'en ai l'intention — je venais te voir d'ici trois semaines ; au moins pourrions-nous en discuter. De toute façon, il me semble absolument nécessaire de commencer d'emblée par les écrits qui auront un effet pratique et frapperont les Allemands, en nous évitant de répéter ce que d'autres ont déjà dit avant nous.

Si nous voulions un recueil sur les sources et l'histoire du socialisme, ou plus exactement l'histoire du socialisme dans et par ses sources, je crains que nous n'en ayons pas fini de sitôt, et par-dessus le marché nous serions ennuyeux. C'est la raison pour laquelle je suis d'avis de ne publier que des textes, dont le contenu effectif est encore utilisable aujourd'hui, du moins pour l'essentiel.

Etant donné que tu feras de toute façon une critique *complète* de la politique, nous pourrions laisser de côté la *Political Justice* de Godwin, qui critique la politique du point de vue *politique et social*[4] bien qu'on y trouve de

___

3. Comme Marx, Engels part d'une première catégorie ou couche de théoriciens et de révolutionnaires — socialistes, plébéiens ou bourgeois (parmi lesquels alternent français et anglais) — pour aboutir aux utopistes les plus proches du socialisme scientifique.

4. Godwin constitue le maillon de l'égalitarisme *politique* qui, combiné avec l'utilitarisme *économique* de Bentham, aboutit à l'égalitarisme *économique* de la première école socialiste anglaise avec les Thompson, Gay, Bray, Hodsgkin et Owen, qui ont voulu appliquer, de manière utopique — c'est-à-dire en l'occurrence sans moyens de classe violents — à toute l'humanité *dans la réalité* les abstractions égalitaires de la bourgeoisie révolutionnaire — de Robespierre, par exemple.
Karl Marx écrit dans *Misère de la philosophie* (chap. I, § 2 : « La Valeur constituée ou la valeur synthétique ») : « Quiconque est tant soit peu familiarisé avec le mouvement de l'économie politique en Angleterre n'est pas sans savoir que presque tous les socialistes de ce pays ont, à différentes époques, proposé l'application égalitaire de la théorie ricardienne. »
Dans sa préface de 1885 au second livre du *Capital*, Engels

nombreuses choses formidables, où il frôle le communisme. J'y penche d'autant plus que Godwin, *à la fin* de son ouvrage (vol. II, 8, annexe au chapitre 8), aboutit au résultat que l'homme doit s'émanciper autant que possible de la société et ne l'utiliser que comme un article de luxe, et qu'en général ses conclusions sont résolument *anti-socialistes*. Du reste, j'ai fait des extraits de cet ouvrage il y a longtemps déjà ; mais alors mes idées étaient encore assez vagues si bien qu'il est facilement possible qu'il s'y trouve plus de choses que je n'en ai détecté alors. Mais si nous accueillons Godwin, nous ne devons pas écarter non plus son complément — Bentham, bien que ce gaillard soit bougrement ennuyeux et abstrait.

Réponds-moi à ce sujet, et nous verrons alors ce que nous pourrons faire. Comme cette idée nous est venue à tous deux, il faut absolument la réaliser — je parle de la bibliothèque. Hess se fera certainement un plaisir d'y participer, et moi de même, dès que j'aurai un peu de temps libre. Hess dispose de temps, puisqu'à l'heure actuelle il n'a pas d'autre projet que la rédaction du *Gesellschaftsspiegel*. Mais sitôt que nous serons d'accord sur le fond, nous pourrons — lors de mon voyage à Bruxelles que j'avancerai éventuellement pour cette affaire — mettre ce projet au net, et nous atteler aussitôt au travail.

La *Critique critique* (la *Sainte-Famille*) — je crois t'avoir informé déjà qu'elle est arrivée — est tout à fait formidable.

Je ne suis absolument pas en mesure de te distiller une essence à partir d'Owen [5]. D'abord je n'ai pas le temps

---

parle de toute cette littérature socialiste anglaise « qui, de 1820 à 1830, a tourné contre la production capitaliste, dans l'intérêt du prolétariat, la théorie ricardienne de la valeur et de la plus-value, et attaqua la bourgeoisie avec ses propres armes. Tout le communisme d'Owen — pour autant qu'il agit au plan économique et polémique — s'appuie sur Ricardo ».
D'après la formule de Marx, « Thompson est une combinaison toute contradictoire de Godwin, Bentham et Owen ».
5. Cf. Engels à Wilhelm Liebknecht, 12 février 1873.
Le projet d'édition des utopistes demeura longtemps un vœu pieux. Le 8 février 1873, Liebknecht informa Engels que le Parti social-démocrate allemand avait l'intention de publier une collection de politique sociale qui devait débuter avec l'*Utopia* de Thomas More et englober « tous les ouvrages importants de socialistes et apparentés ». Ce n'est qu'à la fin

et ensuite je n'ai pas le matériel nécessaire, ma collection des œuvres d'Owen ayant disparu en 1848-49, et elles ne sont plus trouvables. La *Misère de la philosophie* sera de toute façon réimprimée, et ce à Paris. En ce qui concerne la traduction allemande, Marx est en pourparlers avec Meissner pour une édition complète de ses premiers travaux, et il ne peut donc en retirer l'une de ses œuvres majeures. Au reste, vous avez encore beaucoup de temps pour passer de l'*Utopie* à nous, pensez bien plutôt aux chaînons intermédiaires.

Bentham, Godwin et les premiers socialistes anglais

Le révolutionnement de l'industrie anglaise forme la base de tous les rapports modernes en Angleterre, la force motrice de tout le mouvement social[6]. Sa première conséquence a été de faire de l'*intérêt* la puissance dominante de l'homme. L'intérêt a gagné les forces industrielles nouvellement créées et les a exploitées à ses fins : ces forces qui, de droit, devraient appartenir à l'humanité, sont devenues, par l'action de la propriété privée, le monopole de quelques capitalistes peu nombreux et le moyen d'asservir les masses. Le commerce s'est emparé de l'industrie, se rendant ainsi tout-puissant et devenant le lien entre tous les hommes. Les rapports personnels et nationaux (féodaux) furent dissous et réduits aux rapports mercantiles ou — ce

des années 1880 que le parti allemand commença à réaliser ce projet avec la *Bibliothèque internationale* de l'édition Dietz.

Sur le plan pratique, il était, bien sûr, plus utile de publier les utopistes au moment où le marxisme était en formation dans les années 1845, lorsque la classe ouvrière allemande passait, elle aussi, des positions utopistes de Weitling au socialisme scientifique de Marx-Engels.

6. Cf. ENGELS, *La Situation de l'Angleterre. Le XVIIIᵉ siècle,* 7 et 11 septembre 1844. Ce texte établit la filiation entre les socialistes anglais, qui voulaient réaliser les idées égalitaires de nature politique de la bourgeoisie, en les développant avec esprit de conséquence jusqu'à leur universalisation à l'ensemble de l'humanité. Ils ne pouvaient cependant dépasser les conditions matérielles de l'époque qui les maintenaient dans la pratique au niveau historique (bourgeois).

qui revient au même — à la propriété, l'objet, qui devint le maître suprême du monde.

Pour pouvoir régner, la propriété devait nécessairement commencer par se tourner contre l'Etat pour le dissoudre ou du moins, pour le vider de sa substance — puisqu'elle ne peut s'en passer[7]. Adam Smith commença ce travail de sape et de vidage de l'Etat au moment où s'effectuait la révolution industrielle, lorsqu'il publia son *Enquête sur la nature et les causes de la richesse nationale* en 1776, créant du même coup la science financière. Jusque-là toute science financière avait été nationale et l'économie nationale n'avait été considérée que comme une simple annexe de l'édifice de l'Etat. Adam Smith soumit le cosmopolitisme aux buts nationaux et éleva l'économie nationale à l'essence et au but de l'Etat. Il réduisit la politique, les partis, la religion et tout le reste à des catégories économiques et fit ainsi de la propriété l'essence de l'Etat et de l'enrichissement son but.

De l'autre côté, William Godwin (*Political Justice,* 1793[8]) fonda le système républicain en politique, établit en même temps que J. Bentham le principe de l'utilité, grâce auquel

---

7. Comme l'explique Engels, Adam Smith, en bon bourgeois, remet sur pieds l'Etat (capitaliste, cette fois) après la dissolution de l'Etat féodal, mais, en économiste libéral, il voudra cependant réduire au maximum les frais de cet Etat, avec le principe du gouvernement bon marché de l'époque libérale. De toute façon, Adam Smith est conséquent : la propriété privée, pour se concentrer entre les mains de quelques privilégiés, a besoin de l'Etat qui, en outre, a des fonctions économiques importantes, mais cela contredit son vœu de faire de l'Etat (soit de sa « communauté ») le sujet de l'intérêt général et de l'enrichissement.

Les premiers socialistes utopiques, manquant de tout sens historique, pousseront la dissolution de l'Etat féodal jusqu'à ses conséquences extrêmes, en abolissant l'Etat en général (qui disparaît de leurs plans de société modèle, mais que fait resurgir le mouvement nécessairement bourgeois de l'époque : ils remplacent l'Etat *réel* par une société *modèle.*

8. La publication de l'ouvrage de Godwin coïncide avec l'époque de la Terreur en France qui tentait précisément de réaliser l'égalité économique en plus de l'égalité politique ; ce n'est pas le fait du hasard : Godwin n'affirmait-il pas que la monarchie est par essence un Etat corrompu ?

Locke, Rousseau, Burke et Helvétius sont les auteurs, qui se sont préoccupés le plus des idées de Godwin.

la formule républicaine selon laquelle *le bien public est la loi suprême* a été poussée jusqu'à ses ultimes conséquences, et s'en prit à l'essence même de l'Etat avec son théorème, selon lequel l'Etat, c'est la source de tous les maux [9].

Godwin conçoit encore le principe d'utilité de manière tout à fait universelle comme le devoir du citoyen, qui néglige son intérêt individuel en vue de vivre pour le bien de tous. Bentham, en revanche, élabore davantage la nature essentiellement sociale de ce principe, en faisant conformément à l'orientation nationale de cette époque, de l'intérêt individuel la base de l'intérêt général, l'identité des deux étant surtout développée dans la formule de son disciple Mill : l'amour des hommes n'est rien d'autre que l'égoïsme conscient et éclairé, le plus grand bonheur du plus grand nombre étant substitué au « bien général ».

Bentham commet ici, dans son empirisme, la même faute que Hegel sur le plan philosophique : il ne prend pas au sérieux l'abolition des contradictions, fait du sujet le prédicat, subordonne l'ensemble aux parties — et met ainsi tout sur la tête. Tout d'abord il parle du caractère inséparable de l'intérêt général et de l'intérêt particulier, et ensuite il reste accroché au grossier intérêt particulier. Son théorème n'est rien d'autre que l'expression empirique de ce que l'homme est l'humanité, mais comme il s'exprime empiriquement il ne donne pas les droits de l'humanité aux hommes libres, conscients d'eux-mêmes et se produisant eux-mêmes, mais à ceux qui sont grossiers, aveugles et enserrés dans leurs contradictions. Il fait de la libre concurrence l'essence de la moralité, règle les rapports entre les hommes d'après les lois de la propriété, des choses, d'après des lois naturelles — et nous avons le parfait achèvement

---

9. C'est sur ce point que Godwin « frôle le socialisme ». Mais comme le note Engels dans sa lettre du 11 mars 1845 à Marx, étant à la fois contre la révolution et contre le pouvoir, Godwin en vint à la fin, en épicurien sceptique, à conseiller à l'individu de se retirer de la vie sociale.

Cette conception aristocratique de l'abolition de l'Etat au niveau de l'individu, qui se retire sur ses terres, n'est pas sans lien avec le noble anarchisme libertaire, auquel cependant le totalitarisme de la tentaculaire société capitaliste actuelle ne laisse plus guère de loisir pour fonder ses « communautés libres et humaines », qui ne sont en fait qu'une vacance de jeunes gens entre l'âge scolaire et l'âge de travailler.

de l'état du monde primitif et chrétien, le comble de l'aliénation, et non le début de l'état social de l'homme nouveau, conscient de soi et créant ses rapports en toute liberté. Il ne dépasse pas l'Etat, mais lui donne un autre contenu, en remplaçant les principes politiques par des principes sociaux, fait de l'organisation politique la forme du contenu social et pousse ainsi la contradiction jusqu'à l'extrême.

Le parti démocratique s'est formé parallèlement à la révolution industrielle. En 1769, J. Horne Tooke fonda la *Society of the Bill of Rights,* dans laquelle on discuta de nouveau des principes démocratiques, pour la première fois depuis la République. Comme en France, les membres n'en étaient que des hommes ayant une formation philosophique. Mais ils se rendirent bientôt compte que les classes moyennes et supérieures leur étaient hostiles et que leurs idées ne trouvaient d'écho que dans les classes laborieuses. Parmi celles-ci, ils trouvèrent dès 1794 un parti relativement fort, quoique pas assez pour pouvoir agir autrement que par à-coups ; il ne fut plus question de lui de 1797 à 1816, et au cours des années agitées de 1816 à 1823, il redevint actif, mais il retomba en léthargie jusqu'à la révolution de juillet 1830. Depuis lors, il a conservé son importance aux côtés des vieux partis, et il progresse régulièrement...

Le prolétaire, lui, a un œil vigilant au progrès, et il l'étudie avec plaisir et succès [10]. A ce propos, les socialistes surtout ont fait des merveilles pour la formation du prolétariat : ils ont traduit les matérialistes français, Helvétius, d'Holbach, Diderot, etc., et ils les ont diffusés dans des éditions bon marché, à côté des meilleurs ouvrages anglais. *La Vie de Jésus* de Strauss et *Qu'est-ce que la propriété ?* de Proudhon circulent également parmi les ouvriers. *Shelley,* le génial et prophétique Shelley, et *Byron,* avec son ardeur sensuelle et sa satire amère de la société existante trouvent chez les ouvriers leur public le plus nombreux, les bourgeois n'en possèdent que des éditions expurgées, les *family editions,* accommodées d'après la morale hypocrite du jour. Les deux plus grands philosophes de ces derniers

---

10. Cf. ENGELS, *La situation de la classe laborieuse en Angleterre,* 1845, chap. « Mouvements ouvriers ».

temps, *Bentham* et *Godwin* sont eux aussi, et surtout ce dernier, la propriété presque exclusive du prolétariat. Bien que Bentham ait fait école aussi chez les bourgeois radicaux, seul le prolétariat et les socialistes sont *parvenus à dégager un enseignement progressiste de sa doctrine*. Le prolétariat s'est constitué une littérature propre sur ces bases. Elle se compose surtout de brochures et de journaux, dont la valeur dépasse de loin l'ensemble de la littérature bourgeoise. Nous en reparlerons ailleurs.

Toute révolution *sociale* en France échoue nécessairement sur l'écueil de la société bourgeoise anglaise, la Grande-Bretagne qui domine l'industrie et le commerce du monde [11]. Toute réforme sociale en France — et sur le continent européen en général — *pour ce qui est de son résultat définitif* n'est qu'un vœu pieux et creux. Or la vieille Angleterre ne sera renversée que par une guerre mondiale qui seule peut offrir au *parti chartiste* — le parti ouvrier anglais organisé — les conditions pour un soulèvement victorieux contre ses gigantesques oppresseurs. Ce n'est qu'au moment où les chartistes seront à la tête du gouvernement anglais que la révolution sociale passera du domaine de l'UTOPIE à celui de la RÉALITÉ. Toute guerre européenne dans laquelle l'Angleterre se trouve mêlée est une guerre mondiale. Elle sera menée au Canada comme en Italie, en Inde orientale comme en Prusse, en Afrique comme sur le Danube. Or une guerre européenne sera la conséquence directe et première d'une révolution ouvrière triomphant en France.

Eléments plébéiens qui expriment les revendications du prolétariat dans toutes les grandes révolutions antiféodales

La première apparition d'un parti communiste véritablement agissant se produit au sein même de la révolution bourgeoise, au moment où la monarchie constitutionnelle

---

11. Cf. MARX, « Le Mouvement révolutionnaire », *La Nouvelle Gazette rhénane*, 1er janvier 1849.
Ce texte explicite le précédent, à un niveau historique plus avancé que celui où s'effectuait l'action des plébéiens révolution-

est éliminée[12]. Les *républicains* les plus conséquents, en Angleterre les *niveleurs,* en France *Babeuf, Buonarroti,* etc., sont les premiers qui aient proclamé les « questions sociales ». La *Conspiration de Babeuf,* écrite par son ami et camarade de parti Buonarroti, montre que ces républi-

---

naires, car nous sommes maintenant en 1848. Après le demi-échec au plan *économique* de la révolution française (l'Angleterre ayant pu éviter, après 1815, une industrialisation rapide chez sa concurrente bourgeoise du continent), lorsque éclate la révolution de 1848, les conditions *matérielles* pour réaliser les principes et les aspirations des travailleurs ne sont pas encore mûres : cf. le processus de la révolution permanente à l'échelle internationale dans MARX-ENGELS, *Le Mouvement ouvrier français,* t. I, p. 31-36.

Mais la différence avec 1789 est considérable : la maturité générale du système capitaliste (dont le siège est l'Angleterre) est telle que la crise aura d'emblée un caractère international, de sorte que, si le prolétariat français triomphe dans la révolution politique, il approfondira la crise de manière que la chute de la bourgeoisie anglaise devienne possible (dans l'hypothèse de Marx, à la suite d'une guerre mondiale dans laquelle la France révolutionnaire impliquerait la bourgeoisie anglaise). Le prolétariat français, ne disposant pas des conditions matérielles de son émancipation dans son propre pays, les trouve — à la suite de son action révolutionnaire — dans le pays le plus avancé, en étendant à lui la révolution. Ainsi la classe progressive se fournit à elle-même, au cours du mouvement, les éléments nouveaux qui lui faisaient défaut auparavant pour s'imposer à la fin.

Les textes de Marx sur les éléments plébéiens au cours de la révolution bourgeoise sont d'une importance primordiale pour l'élaboration pratique de la stratégie révolutionnaire à l'échelle internationale, en vue de lier la lutte des pays arriérés avec ceux des pays avancés : cf. le congrès de Bakou des peuples coloniaux au IIe Congrès de l'Internationale communiste, « Les Thèses et additions sur les questions nationale et coloniale du IIe congrès de l'I.C. », in *Quatre Premiers Congrès mondiaux de l'I.C. 1919-1923* (réimpression en fac-similé, Maspero, 1969), p. 57-60.

12. Cf. MARX, « La Critique moralisante et la Morale critisante », *Deutsche Brüsseler-Zeitung,* 11 novembre 1847.

Dans ce texte, nous faisons un saut qualitatif, pour passer directement à un niveau communiste, avec les revendications des éléments plébéiens au cours des révolutions bourgeoises. Nous passons ainsi à la classe qui est à l'autre pôle du rapport bourgeois et ne peut encore, étant donné l'immaturité des conditions économiques de la société d'alors, se hausser au-delà du stade

cains ont puisé dans le mouvement historique la conscience qu'en éliminant la question sociale de la *monarchie* et de la *république,* on n'avait pas encore résolu la moindre « question sociale » au sens du prolétariat...

Si donc le prolétariat renverse le pouvoir politique de la bourgeoisie, sa victoire ne sera que passagère, qu'un élément au service de la *révolution bourgeoise* elle-même, comme ce fut le cas en l'an 1794. Il en est ainsi tant qu'au cours de l'histoire les conditions matérielles ne sont pas créées pour rendre nécessaire l'élimination du mode de production bourgeois, et donc aussi le renversement définitif du règne politique bourgeois. La Terreur ne devait donc servir qu'à balayer, grâce à ses puissants coups de boutoir, les ruines féodales en France. Il eût fallu des *décennies entières* à la bourgeoisie timorée et toujours conciliatrice pour mener à terme cette besogne : l'intervention sanglante du peuple hâta donc le processus. De même, la chute de la monarchie absolue n'eût été que momentanée, si les conditions économiques nécessaires au règne de la classe bourgeoise n'avaient pas encore été mûres. Les hommes se construisent un monde nouveau, non pas avec des « biens terrestres », comme le croit une superstition vulgaire, mais par des conquêtes historiques qui ébranlent le monde dans lequel ils vivent. Il leur faut, au cours de l'évolution, commencer par *produire* eux-mêmes les *conditions matérielles* d'une nouvelle société, et nul effort de l'esprit ni de la volonté ne peut les soustraire à ce destin.

En fait, les choses sont simples : les bourgeois ont toujours été trop lâches pour défendre leurs propres inté-

---

historique bourgeois, mais n'exprime pas moins déjà les intérêts (antiféodaux aussi) des travailleurs et, en germe, le communisme, soit des revendications d'une classe qui, dès le féodalisme, a combattu, fait parfois grève et connu la dure exploitation capitaliste, bref dispose déjà d'une lourde expérience au seuil de l'époque bourgeoise.

Le matérialisme historique de Marx-Engels explique de manière intransigeante comment ces revendications ne peuvent dépasser les conditions matérielles existantes, et sont donc vouées à l'échec dans le cours immédiat de l'histoire. Il faut séparer ce « parti communiste véritablement agissant » à la fois des matérialistes bourgeois révolutionnaires et des socialistes utopiques. Ils ont cependant en commun avec eux, qu'ils ne peuvent dépasser dans la pratique la société bourgeoise, mais leurs idées sont cependant celles du prolétariat, d'hier, d'aujourd'hui et de demain.

rêts : dès la Bastille, la plèbe a dû faire tout le travail pour la bourgeoisie[13]. En effet, sans cette intervention, ni le 14 Juillet, ni les actions des 5 et 6 Octobre au 10 Août, ni le 2 Septembre, etc., n'eussent pu se produire. La bourgeoisie eût à chaque fois succombé devant l'ancien régime.

Or ces interventions n'allaient pas sans que *les plébéiens donnent aux revendications révolutionnaires de la bourgeoisie* UN SENS *qu'elles n'avaient pas*. Ainsi ils poussaient l'égalité et la fraternité jusqu'à leurs conséquences extrêmes QUI INVERSAIENT LE SENS BOURGEOIS DE CES FORMULES, ce sens poussé à l'extrême se changeant alors en son contraire. Mais cette égalité et cette fraternité *plébéiennes* ne pouvaient être qu'un pur IDÉAL, à une époque où il devait s'agir de réaliser *précisément le contraire*. Comme ce fut le cas partout, l'ironie de l'histoire fit que cette conception *plébéienne* des mots d'ordre révolutionnaires fut le levier le plus puissant pour faire passer dans les lois LA CONCEPTION OPPOSÉE — l'égalité bourgeoise — et pour faire passer dans la production l'exploitation — au lieu de la fraternité.

Les *idées* ne peuvent pas conduire au-delà des conditions de l'ancien monde, elles ne peuvent jamais mener qu'au-

---

13. Cf. Engels à Kautsky, 20 février 1889.
Dans ce texte, le facteur de la maturité sociale joue un rôle décisif. Il serait pourtant antidialectique de croire que ces éléments plébéiens étaient finalement de simples éléments bourgeois. Ce serait oublier : d'abord, que la bourgeoisie est toujours flanquée de son contraire antagonique, qui a des intérêts différents, souvent opposés ; ensuite, que les prolétaires sont la classe productive par excellence. Ils produisent non seulement toute la richesse, mais encore les conditions matérielles de la société capitaliste, à partir desquelles leur lutte pour le socialisme devient possible ; enfin, que les idées peuvent exprimer des rapports futurs justes, si elles sont le patrimoine d'une classe progressive, et donc ne se réaliser que plus tard, après toute une série de luttes historiques.
Si les éléments plébéiens ont construit dans l'aliénation la base matérielle pour leur émancipation future, puisque leurs idées se changeaient en leur contraire, ils ont néanmoins fourni au prolétariat la formule de son organisation et de nombreux éléments tactiques de sa lutte. Quant aux utopistes, sur la base d'une société bourgeoise déjà existante, ils ont fait la critique (qu'appliquaient les plébéiens par les armes) et ont organisé les luttes pacifiques (syndicales, cf. Owen) du prolétariat moderne, bref ont jeté de ce côté-là le pont pour le socialisme scientifique du prolétariat moderne.

delà des idées des conditions de l'ancien [14]. De manière générale, les idées ne peuvent *rien exécuter du tout*. Pour réaliser les idées, il faut des hommes qui emploient une force pratique. Dans son *sens* littéral, l'affirmation critique [de M. Bauer] est donc, une fois de plus, une vérité qui va de soi, donc c'est encore un « examen ».

---

14. Voici le texte de *La Sainte-Famille* (chap. VI, 3 c) auquel les éditeurs de la Mega avaient fait allusion à propos du commentaire du tableau de Marx (reproduit au début de ce chapitre) sur la filiation entre révolutionnaires bourgeois et révolutionnaires prolétariens qui ont lutté côte à côte contre l'ennemi commun, les puissances féodales, puis se sont scindés en deux camps, de sorte qu'ils passent par un fonds commun à un moment historique déterminé, puis s'opposent. C'est en les distinguant les uns des autres que nous pourrons le mieux les caractériser chacun en particulier.

Marx-Engels comparent ici les éléments plébéiens qui aboutirent au mouvement de Babeuf, avec le parti extrême bourgeois de Robespierre. Tous deux poussèrent au maximum la révolution en avant, puis en furent les victimes, la sauvant néanmoins, car sans eux la bourgeoisie n'eût pu vaincre aussi radicalement au plan politique.

Mais là s'arrête, aux yeux de Marx-Engels, la comparaison. Les éléments prolétariens voulaient pousser la révolution même au-delà du seuil des Robespierre et Saint-Just, après avoir conquis enfin leur propre terrain historique sur lequel leurs intérêts de classe peuvent s'affirmer. Les plébéiens moururent parce qu'ils furent battus par des forces bourgeoises encore historiquement progressives, leur temps n'étant pas encore mûr. Les seconds périrent en voulant réaliser, contre la bourgeoisie elle-même, la revendication de l'égalité des premiers socialistes utopiques se mouvant sur le terrain bourgeois — et en ce sens un auteur communiste a pu dire que Robespierre était, lui aussi, marxiste. En effet, Saint-Just et Robespierre s'acharnèrent à appliquer, après la conquête de l'égalité politique, la fameuse égalité économique, qu'ils voulurent étendre à tous les hommes. (Cf. Marx-Engels, *La Belgique,* Editions Le Fil du temps, 1976.)

Certes, nous sommes encore bien loin du socialisme scientifique, mais, à la lointaine époque où ces mouvements se manifestèrent, ils y ont tendu — au moment même où ils furent brisés dans leur élan. En somme, ils étaient dans la même coulée. Dans le processus de la révolution permanente, la pointe extrême de l'élan d'une classe pousse l'autre classe plus radicale sur l'avant-scène, jusqu'à la classe la plus révolutionnaire.

Les plébéiens communistes voulaient cependant aller au-delà de la révolution bourgeoise, et les robespierristes croyaient

Or sans se laisser troubler le moins du monde par cet examen, la Révolution française a fait germer des *idées* qui conduisent au-delà des conditions de tout l'ancien monde. Le mouvement révolutionnaire, qui commença en 1789 au *Cercle social,* qui, au milieu de son cours, eut pour représentants principaux *Leclerc* et *Roux,* et finit par succomber provisoirement avec la conspiration de *Babeuf,* avait mis en branle *(hervortreiben)* l'idée *communiste,* que l'ami de Babeuf, Buonarroti, a de nouveau introduite en France après la révolution de 1830. Cette idée, élaborée de manière conséquente, c'est l'idée des nouvelles conditions du monde...

Pour parler avec précision et au sens prosaïque, les membres de la société bourgeoise ne sont pas des atomes [15].

---

simplement pouvoir continuer encore plus loin la révolution en cours (sans voir qu'elle était limitée, bourgeoise) : ils voulurent réaliser l'égalité économique de force au moyen de l'égalité politique. Ils ne voulaient rien d'autre que les aspirations à l'égalité économique de tous les premiers socialistes « ricardiens ». Leur erreur fut de croire que la politique crée l'économique, alors que c'est le mouvement social, historique et économique, qui met à l'ordre du jour l'égalité économique, qui ne sera plus *individuelle,* mais *sociale,* et ne se donnera plus la peine de mesurer la part de chacun dans le travail, la distribution et la consommation : ce point sera amplement développé dans le volume MARX-ENGELS, *La Société communiste.*

Comme Engels le souligne dans la citation suivante : l'authentique égalité ne résulte pas de la victoire de la démocratie politique, ni de l'égalité politique ; au cours du mouvement, celles-ci pouvaient être employées comme moyens révolutionnaires contre le féodalisme, mais devaient elles-mêmes être mises en pièces pour réaliser l'authentique égalité, non pas individuelle, mais collective : « La liberté politique est un simulacre et le pire esclavage possible. Il en va de même de l'égalité politique : c'est pourquoi il faut réduire en pièces la démocratie, aussi bien que n'importe quelle forme de gouvernement. Cette forme hypocrite ne doit pas subsister. La contradiction qu'elle recèle doit apparaître au grand jour : ou bien un véritable esclavage, et cela signifie un despotisme non déguisé, ou bien une authentique liberté ainsi qu'une authentique égalité, et cela signifie le communisme. La révolution française a produit ces deux éléments : *Napoléon* instaura l'un, *Babeuf,* l'autre. » (ENGELS, « Progrès de la réforme sociale sur le continent », in MARX-ENGELS, *Le Mouvement ouvrier français,* p. 40-41.)

15. Le moyen le plus énergique que la révolution bourgeoise avait développé pour dissoudre la vieille société hiérarchisée

La *propriété caractéristique* de l'atome, c'est de n'avoir aucune propriété ni par conséquent de relation, conditionnée par sa propre nécessité naturelle, avec les autres êtres en dehors de lui. L'atome est *privé de besoins* et *se suffit à lui-même* [16]. Le monde extérieur est le *vide* absolu, sans

---

des ordres féodaux était l'*atomisation* des individus et de la petite propriété parcellaire des paysans travaillant eux-mêmes leur terre et disposant de leurs moyens de travail. Robespierre et Saint-Just représentaient cet élément petit-bourgeois au potentiel révolutionnaire alors énorme, car c'est au nom de ces intérêts et de ces idéaux que les masses furent mobilisées pendant plus de vingt ans : l'égalité des individus, ces « atomes » indépendants les uns des autres, mais jouissant chacun d'un même poids et d'une même valeur, comme la parcelle du paysan, de l'artisan ou du boutiquier est indépendante et souveraine dans son domaine propre. Cependant comme le montre Marx, la révolution bourgeoise n'avait pas pour but de réaliser cette sorte d'« égalité économique et sociale », mais au contraire d'amorcer le mouvement d'expropriation du petit producteur et la concentration de la richesse entre les mains de quelques-uns seulement, tandis que l'égalité n'était réalisée que dans les superstructures politiques et idéologiques, avec les droits politiques égaux du citoyen et de l'électeur. Les tenants robespierriens de la démocratie économique et politique au niveau de l'individu étaient donc condamnés par le mouvement même de l'économie et de l'histoire — et ce fut l'orgie du Directoire.

Les superstructures et les idées suivant toujours avec retard les transformations matérielles de la base économique, les conceptions nées de la petite propriété du travailleur parcellaire survivront *dans les esprits et le droit bourgeois* du capitalisme développé, où les producteurs sont expropriés et la propriété concentrée : « Du point de vue *idéologique et juridique,* ils [les bourgeois] reportent l'*idéologie de la propriété* privée, *dérivant du travail,* sans plus de façons sur la propriété déterminée par l'expropriation du producteur immédiat. » (MARX, *Un chapitre inédit du « Capital »,* 10/18, p. 303-304.)

Robespierre et Saint-Just ne sont donc pas morts, parce qu'ils avaient des idées antibourgeoises, mais parce que, dans la société réelle, ils voulaient empêcher le processus capitaliste de se développer.

16. La révolution bourgeoise avait justement créé à ses débuts cette atomisation dans la société française, et Robespierre en était le protagoniste politique avec sa démocratie pure. Après avoir brisé les entraves féodales, le paysan parcellaire était devenu le propriétaire exclusif de la terre que ses bras étaient capables de travailler. Le petit paysan, qui est sur SA terre et dans SA maison est libre, égal à son voisin parcellaire. Selon

contenu, ni sens, ni signification, justement parce que l'atome possède en lui *toute la pénitude*. L'individu égoïste de la société a beau, dans l'idée immatérielle qu'il se fait de lui-même et dans son abstraction sans vie, se gonfler jusqu'à se prendre pour un *atome,* c'est-à-dire un être sans liens avec l'extérieur, se suffisant à lui-même, sans besoins, absolument plein, béat, l'infortunée *réalité sensible,* elle, ne tient pas compte de l'imagination de cet individu : chacun de ses sens l'oblige à croire à l'existence du monde et des individus existant en dehors de lui, et même son estomac *profane* [17] lui rappelle quotidiennement que le monde exté-

---

la formule propriétaire de l'anarchisme, il n'a NI DIEU NI MAÎTRE. En fait, cependant, les échanges et la production économiques ruineront CE DROIT fondé sur les conceptions romaines antiques, ainsi que cette démocratie *égalitaire.* Vainement Robespierre cherchera, avec la terreur politique, à maintenir cet ordre égalitaire grâce au pouvoir d'Etat CONTRE les nécessités de la vie sociale et économique. Comme le dit Marx, il devait succomber par le mouvement de la société capitaliste qu'il avait lui-même suscité : « La période classique de l'intelligence POLITIQUE est la *Révolution française.* Loin de voir dans le principe de l'Etat la source des maux sociaux, les héros de la Révolution française voyaient dans les maux sociaux la source des maux politiques. C'est ainsi que Robespierre ne voit dans l'excès de pauvreté ou de richesse qu'un obstacle à la *démocratie pure.* Il veut donc instaurer une frugalité spartiate. Le principe de la politique, c'est la *volonté.* Plus l'esprit politique est unilatéral, plus il croit à la *toute-puissance* de la volonté (de l'individu et de l'Etat), et ne peut donc voir les *limites naturelles et intellectuelles de la volonté,* afin de découvrir la source des maux sociaux. » (MARX, « Notes critiques », *Vorwärts,* 7 août 1844.)

17. On peut sans doute en inférer — sans forcer la pensée de Marx — que les préjugés qui se reflètent dans les esprits des bourgeois sont plus faux que les impulsions qui leur viennent de leur estomac individuel. En effet, si les idées bourgeoises retardent toujours sur les conditions matérielles produites dans la base économique, l'estomac est le lien par excellence entre l'individu et la production, la distribution et la consommation, au sens tout à fait matériel et social. La révolution bourgeoise ayant figé les idées du stade de la petite production parcellaire dans les superstructures juridiques et idéologiques de la société bourgeoise, les prolétaires, coupés de ces idées et de la culture correspondante, tout ignorants qu'ils puissent être, sont précisément les plus ouverts et les plus sensibles au développement réel et véritable de la société, et en ce sens représentent la classe progressive de l'avenir. Et Marx l'explique en une

rieur n'est pas *vide,* mais qu'il est au contraire ce qui *remplit.* Chacune de ses activités et de ses propriétés essentielles, chacune de ses impulsions vitales devient un *besoin,* une pénurie, qui transforme son égoïsme et ses désirs propres en désirs d'autres choses et d'autres hommes hors de lui. Puisque le besoin d'un individu donné n'a pas en soi de sens intelligible pour l'autre individu égoïste qui possède les moyens de satisfaire ce besoin, autrement dit que le besoin n'a pas de rapport immédiat avec sa satisfaction, tout individu est obligé de recourir à l'échange, en faisant lui aussi la médiation entre le besoin d'autrui et les objets de ce besoin. C'est donc la *nécessité naturelle,* ce sont les *propriétés inhérentes* à l'homme — tout aliénées qu'elles soient —, c'est l'*intérêt* qui tiennent unis les membres de la société bourgeoise, dont le lien *réel* est la vie en société, et non la vie *politique.* Ce n'est donc pas l'*Etat* qui assure la cohésion des *atomes* de la société bourgeoise, mais le fait que ces atomes ne le sont que dans la *représentation,* dans le *ciel* de leur *imagination,* et qu'en *réalité* ce sont des êtres considérablement différents des atomes — non pas des *égoïsmes divins,* mais des *hommes égoïstes.* Seule la *superstition politique* s'imagine de nos jours encore que la vie civile bourgeoise doit être tenue ensemble par l'Etat, alors qu'au contraire, dans la réalité, l'Etat repose sur la vie civile bourgeoise...

Robespierre et Saint-Just parlaient expressément de « la liberté, la justice et la vertu » *antiques* qui appartiennent uniquement à l'« *essence du peuple* » : au temps de leur grandeur, les *Spartiates,* les *Athéniens* et les *Romains* étaient des « peuples libres, justes et vertueux ».

Dans son discours sur les principes de la morale à la séance de la Convention du 5 février 1794, Robespierre demande : « Quel est le *principe fondamental* du gouverne-

---

formule ramassée, d'une dialectique admirable : « Si la Critique (Bauer et Cie) était familiarisée avec le mouvement des classes inférieures, elle saurait que la résistance extrême que leur fait sentir (toute) la vie pratique les modifie chaque jour. » (*La Sainte-Famille,* chap. VI, 3 f.) Les théoriciens de la parcelle petite-bourgeoise que furent les *Robespierre* ne sont donc pas des utopistes, mais des idéologues du passé. Mais il faut observer qu'ils étaient de grands révolutionnaires, car leurs idées et leur politique ont dissous radicalement les structures de pensée et de propriété du féodalisme — au XVIIIe siècle.

ment démocratique ou populaire ? La *vertu.* J'entends la *vertu publique* qui fit tant de prodiges en *Grèce* et à *Rome,* et qui doit en opérer de bien plus étonnants encore dans la France républicaine — de cette vertu qui n'est autre chose que l'amour de la patrie et de ses lois [18]. »

Ensuite Robespierre qualifie expressément les *Athéniens* et les *Spartiates* de « peuples libres ». Il évoque constamment la « *nation* » *antique,* et cite aussi bien ses héros que ses corrupteurs — Lycurgue, Démosthème, Miltiade, Aristide, Brutus, César, Clodius, Pison.

Dans son rapport sur l'arrestation de Danton — auquel la « Critique » renvoie — Saint-Just déclare expressément : « Le monde est vide depuis les *Romains ;* et seul leur souvenir le remplit et prophétise encore la liberté. » Son réquisitoire est dirigé, à la manière antique, contre *Danton,* nouveau Catilina.

Dans un autre rapport sur la *police générale,* Saint-Just décrit le *républicain* tout à fait dans le sens antique — *inflexible, frugal, simple,* etc. La *police* doit être, par essence, une institution correspondant à la *censure* romaine. Il ne manque pas de citer Codrus, Lycurgue, César, Caton, Catilina, Brutus, Antoine, Cassius. Enfin, Saint-Just caractérise d'*un seul mot* « la *liberté,* la justice, la vertu » qu'il revendique, en disant : « Que les hommes révolutionnaires soient des Romains ! »

Robespierre, Saint-Just et leur parti ont succombé, parce qu'ils ont confondu la communauté de *démocratie réaliste* de l'antiquité, fondée sur l'*esclavage réel,* avec l'*Etat représentatif moderne* de *démocratie spiritualiste,* reposant sur l'*esclavage émancipé* de la *société bourgeoise.* Quelle colossale illusion que d'être forcé de reconnaître et de sanction-

---

18. Les deux pivots de la société bourgeoise sont l'individu, d'une part, et l'Etat, de l'autre (qui chez Robespiere garantit l'autonomie et les droits de l'individu, contre les autres individus et le cours de l'expropriation dans l'économie). Le matérialisme bourgeois demeure confiné dans les limites de l'individu et ramène ensuite la société à l'Etat, l'administration, comme le fait Robespierre aussi bien que Hegel.

Le matérialisme marxiste considère, à l'inverse, le mouvement réel *à partir du niveau de la société et des classes.* En disant, par exemple, que « rien n'est dans l'intellect qui n'ait été auparavant dans les sens », d'Holbach noue lui-même tous les rapports au niveau de l'*individu.* L'anarchisme reste crassement enfermé dans ce rapport bourgeois de l'individu-atome.

ner dans les *droits de l'homme* la société bourgeoise moderne — la société de l'industrie, de la concurrence universelle, des intérêts privés poursuivant librement leurs fins, de l'anarchie, de l'individu naturel et spirituel, devenu étranger à lui-même, et en même temps de vouloir annuler après coup les *manifestations de vie* de cette société chez les individus privés, sans parler de la prétention de façonner à l'antique la *tête politique* de cette société !

Cette illusion prit un tour tragique, le jour où Saint-Just, marchant à la guillotine, montra du doigt la grande Table des *droits de l'homme* accrochée dans la salle de la Conciergerie et s'écria encore tout gonflé d'un fier contentement de soi : « C'est pourtant moi qui ai fait cela ! » Or cette table proclamait le *droit* d'un homme, qui ne pouvait être celui de la communauté antique, pas plus que les conditions *économico-politiques et industrielles* ne sont les rapports *antiques.*

Cependant ce n'est pas le lieu ici de justifier *historiquement* l'illusion des *hommes de la Terreur...*

L'histoire profane nous apprend : ce n'est qu'après la chute de Robespierre que la Raison *politique,* qui avait voulu *se surpasser elle-même* et avait été *trop exaltée,* commença à se réaliser prosaïquement. Sous le gouvernement du Directoire, la société bourgeoise, que la révolution avait libérée des entraves féodales et reconnue officiellement, jaillit avec une vitalité prodigieuse, alors que la Terreur avait sacrifié à une conception antique de la vie politique.

Développement tumultueux des entreprises commerciales, soif de s'enrichir, vertige de la nouvelle vie bourgeoise, qui jouit d'elle-même pour la première fois, dans une atmosphère de légèreté et de frivolité enivrantes ; rationalisation *réelle* de la *propriété foncière française,* dont la structure féodale avait été mise en pièces par les coups de masse de la révolution et qu'à présent l'ardeur frénétique des innombrables propriétaires nouveaux soumet à une culture intensive et variée ; un premier essor de l'industrie émancipée de ses liens — tels sont quelques-uns des signes de la vitalité de cette société bourgeoise qui vient de naître. La société civile bourgeoise est *positivement représentée* par la *bourgeoisie.* Celle-ci *inaugure* donc son règne : les droits de l'homme cessent d'exister *simplement* dans la *théorie.*

Toute cette sagesse [de Proudhon] se propose d'en rester aux rapports économiques les plus simples [de la production marchande parcellaire] qui, en eux-mêmes, ne sont plus que des abstractions, maintenant que dans la réalité se manifestent les contradictions les plus profondes [19]. Bref, ces notions ne représentent qu'une face — celle d'où les contradictions ont disparu. Au demeurant, il se trouve que beaucoup de socialistes reprennent ces insanités, notamment en France. Ils entendent démontrer que le socialisme est la réalisation des idées de la société *bourgeoise,* énoncées par la Révolution française. Ils affirment, entre autres, qu'*à l'origine* l'échange, la valeur, etc., représentent (sous une forme adéquate) le règne de la liberté et de l'égalité pour tous, mais que tout cela a été faussé par l'argent, le capital, etc. L'histoire aurait vainement tenté jusqu'à ce jour de réaliser ces idées conformément à leur essence véritable (que Proudhon, par exemple, tel Jacob, a découverte) : l'histoire fausse de ces idées peut donc faire place maintenant à l'histoire véritable.

Il faut leur répondre : la valeur d'échange et, mieux encore, le système monétaire constituent en fait le fondement de l'égalité et de la liberté ; les perturbations survenues dans l'évolution moderne ne sont que des troubles immanents à ce système ; autrement dit, la réalisation de l'*égalité* et de la *liberté* provoque l'INÉGALITÉ ET LE DESPOTISME. Vouloir que la valeur d'échange ne se développe pas en capital, ou que le travail produisant des valeurs d'échange n'aboutisse pas au salariat — c'est un vœu aussi pieux que niais.

Voici ce qui distingue ces messieurs des apologistes bourgeois : ils ont, d'une part, le sentiment des contradictions internes du système social et, d'autre part, ils se lancent dans les UTOPIES, en ne discernant pas la différence qui

---

19. Dans ce texte des *Grundrisse,* 10/18, t. 2, p. 17-18, Marx établit la filiation de Proudhon avec ses prédécesseurs de la révolution française et montre *combien l'anarchisme devient stérile, une fois la tâche révolutionnaire bourgeoise accomplie* et ne fait que fourvoyer les volontés révolutionnaires. Bref, *il devient* petit-bourgeois réactionnaire, c'est-à-dire tourné vers le passé.
Dans le brillant chapitre de ce même ouvrage, sur *l'égalité et la liberté (ibid.,* p. 7-20), Marx montre les limites et les contradictions de ces notions et les rattache à leur base économique, mettant en évidence le caractère mystificateur de ces mots d'ordre de la révolution bourgeoise repris par de pseudo-socialistes et les anarchistes.

existe nécessairement entre la forme réelle et la forme idéale de la société bourgeoise, ce qui les incite *à vouloir entreprendre des tâches vaines, telle la mise en pratique des idéaux de cette société, qui ne sont en fait que l'image réfléchie de la réalité présente* [20].

Le socialisme des juristes

La lutte de la nouvelle classe montante contre les seigneurs féodaux et la monarchie absolue qui leur sert de rempart était — comme toute lutte de classe — de caractère politique, soit une lutte devant être menée pour le pouvoir de l'Etat et donc aussi pour des *revendications juridiques*. Ce fait contribua à asseoir les conceptions juridiques du monde [21].

Mais la bourgeoisie engendra en même temps son double négateur, le prolétariat, et aussitôt éclata une nouvelle

---

20. « Proudhon puise son idéal de justice, de la " justice éternelle " dans les rapports juridiques correspondant à la production marchande — ce qui, soit dit en passant, fournit aussi la preuve si consolante pour tous les philistins petits-bourgeois que la forme de la production marchande est aussi éternelle que la justice. Ensuite, au contraire, il veut remodeler d'après cet idéal la production marchande réelle et le droit réel correspondant. » (Cf. MARX, *Le Capital*, I, chap. 2, n. 2.) Notons que, pour ne pas froisser les proudhoniens qui adhéraient alors à l'Internationale, le traducteur français avait remplacé Proudhon au début de la citation par « bien des gens ».

21. Cf. ENGELS, « Le Socialisme des juristes », *Die Neue Zeit*, fascicule 2, 1887.
Dans ce texte, Engels explique pourquoi, au fond, les utopistes furent amenés à reprendre à leur compte, en le modifiant dûment, le matérialisme et le rationalisme. A une époque où le rapport des forces leur était historiquement défavorable et les condamnait à l'impuissance politique, ils « abolirent » l'Etat existant, en en reprenant le droit (qui implique pourtant nécessairement l'Etat, mais c'est là leur contradiction) pour justifier leurs systèmes fantastiques par les idées juridiques de l'égalité, de la justice et du droit au travail et au bonheur de tous. La force et l'Etat restent donc à la base de leurs systèmes, mais ils sont escamotés et utilisés en sous-main comme idée-force en quelque sorte naturelle, immanente aux êtres et aux choses. Les anarchistes, avec leur homme naturel, leur justice, leur fraternité et leur liberté des individus, opèrent le même escamotage.

lutte de classes — avant même que la bourgeoisie ait pu conquérir tout à fait le pouvoir politique. Comme en son temps, par tradition, la bourgeoisie avait encore traîné pendant un certain temps derrière elle la conception théologique du monde dans sa lutte contre la noblesse, le prolétariat au début reprit de son adversaire la conception juridique et s'efforça d'en faire une arme contre la bourgeoisie. Les premières organisations prolétariennes de parti restèrent, comme leurs représentants théoriques, sur le terrain de la justice, à cela près cependant qu'ils se fabriquèrent un autre droit que celui de la bourgeoisie. D'une part, on étendit la revendication de l'égalité jusqu'au point où l'égalité juridique complétait l'égalité sociale ; d'autre part, on déduisit du principe d'Adam Smith (selon lequel le travail est la source de toute richesse, mais que le produit du travail devait être partagé entre le travailleur, le propriétaire foncier et le capitaliste) que la répartition était injuste et qu'il fallait donc l'abolir, ou du moins la modifier en faveur de l'ouvrier. Cependant le sentiment qu'en laissant cette question sur le simple « terrain juridique » on ne pouvait parvenir en aucun cas à éliminer les maux engendrés par le mode de production bourgeois capitaliste, notamment sous sa forme industrielle moderne, amena les esprits les plus remarquables parmi les socialistes — Saint-Simon, Fourier et Owen — à abandonner complètement la sphère juridico-politique et à proclamer que toute lutte politique était stérile.

Ces conceptions sont toutes deux insuffisantes à rendre compte de toutes les conditions existantes et à fournir une synthèse complète des efforts d'émancipation de la classe ouvrière sur la base des conditions économiques réelles. La revendication de l'égalité de même que celle de la pleine rémunération du travail aboutissent à des contradictions inextricables dès lors qu'on veut les formuler en détail sur le plan juridique, et elles laissent plus ou moins de côté le fond de la question : la transformation révolutionnaire du mode de production. En rejetant la lutte politique, les grands utopistes rejetaient en même temps la lutte de classe, c'est-à-dire le seul mode d'activité possible de la classe, dont ils défendaient les intérêts. Les deux conceptions faisaient abstraction de l'arrière-plan historique, auquel ils devaient leur existence. Elles en appelaient toutes deux au sentiment — les unes à celui de justice, les autres à celui d'humanité. Toutes deux paraient leurs revendications du voile de vœux pieux, dont on ne pouvait dire pourquoi elles devaient être réalisées maintenant plutôt que mille ans avant ou après.

Après avoir été dépouillée de toute propriété sur les moyens de production par la transformation du mode de production féodal en capitaliste, la classe ouvrière est maintenue dans cet état héréditaire d'absence de propriété par le mécanisme même du mode de production capitaliste, de sorte qu'elle ne peut donner une explication complète de ses conditions de vie en demeurant sur le terrain juridique qui est illusion bourgeoise. Elle ne peut reconnaître les conditions de sa vie qu'en regardant les choses dans leur réalité sans lunettes teintées de couleurs juridiques. C'est ici que Marx apporta son concours, en développant sa conception matérialiste de l'histoire, après avoir démontré que toutes les idées juridiques, politiques, philosophiques, religieuses, etc., des hommes se déduisent en fin de compte de leurs conditions de vie économiques et de leur mode de production et de distribution des produits. Dès lors le prolétariat disposait d'une vision du monde correspondant à ses conditions de vie et de lutte. Or cette conception du monde prolétarienne fait en ce moment le tour de la terre.

Mais on comprendra que la lutte entre ces deux conceptions se poursuit — non seulement entre prolétariat et bourgeoisie, mais encore entre les ouvriers, dont les uns pensent librement et les autres sont dominés par les vieilles traditions.

Rapport de l'utopisme avec la philosophie matérialiste et et rationaliste (bourgeoise)

Pour parler avec précision et au sens prosaïque, la philosophie française des Lumières du XVIIIe siècle et surtout le *matérialisme français* ne sont pas seulement un combat contre les institutions politiques en vigueur, contre la religion et la théologie existantes, mais tout autant une lutte *ouverte, déclarée* contre la métaphysique du XVIIe siècle, et contre toute métaphysique singulièrement celle de *Descartes*, de *Malebranche*, de *Spinoza* et de *Leibniz* [22]. La *philoso-*

22. Cf. MARX-ENGELS, *La Sainte-Famille*, chap. VI, 3 d.
Nous replongeons maintenant dans un passé plus lointain

phie s'y opposa à la *métaphysique,* tout comme Feuerbach, dans sa première prise de position résolue contre Hegel, opposa la *froide lucidité de la philosophie* à *l'ivresse spéculative.*

La *métaphysique* du XVIIᵉ, qui avait été évincée du champ de bataille par la philosophie française des Lumières et surtout le *matérialisme français* du XVIIIᵉ siècle, a connu une *restauration triomphale et substantielle* dans la *philosophie allemande,* et surtout dans la *philosophie spéculative allemande* du XIXᵉ siècle. Après que Hegel a uni de façon géniale la philosophie avec toute la métaphysique antérieure et avec l'idéalisme allemand et créé un monde métaphysique universel, on put repartir, comme au XVIIIᵉ siècle, à l'attaque — mais cette fois-ci contre la métaphysique spéculative et *toute métaphysique.* Celle-ci succombera alors définitivement devant le matérialisme, désormais achevé par l'œuvre de la spéculation elle-même, le matérialisme s'identifiant maintenant avec l'humanisme. Si Feuerbach a représenté sur le plan *théorique* l'humanisme coïncidant avec le *matérialisme,* le *socialisme* français et anglais l'ont représenté sur le plan *pratique* [23].

pour trouver l'autre racine, *formelle,* du socialisme utopique. En effet, l'utopisme se relie d'abord et *substantiellement* aux luttes de l'avant-garde communiste de la première révolution antiféodale, lorsque surgirent, face aux solutions partielles de la bourgeoisie, les revendications générales et étendues à toute l'humanité du progrès arraché concrètement à un moment dans la lutte. Les conditions matérielles du socialisme n'étant pas encore mûres au temps des utopistes, ils devaient recourir à la philosophie matérialiste de la Raison (bourgeoise) pour fonder, justifier, voire élucubrer en systèmes et plans de la société future, les « germes de communisme », dont ils avaient l'intuition dans le cours réel du développement de la société de leur époque.

23. Remarquons d'abord — comme l'indiquent de nombreuses notes d'Engels aux rééditions ultérieures — que lorsque Marx parle de socialisme anglais ou français de cette époque il parle du socialisme prémarxiste, non encore scientifique, soit un socialisme en voie d'évolution vers sa forme moderne.

La comparaison de ce socialisme utopique avec Feuerbach mérite d'être soulignée : Feuerbach est, au marxisme, ce que le matérialisme illuministe bourgeois est au socialisme prémarxiste sur le plan *formel* (philosophique). Marx remarque ici que l'humanisme *pratique,* soit son contenu, provient du socialisme prémarxiste, tandis que l'humanisme *théorique* (philosophique)

Pour parler avec précision et au sens prosaïque, il y a *deux tendances* du matérialisme français : l'un tire son origine de *Descartes,* l'autre de *Locke.* Ce dernier devint un élément de culture *française par excellence* et aboutit directement au *socialisme,* tandis que le premier, le *matérialisme mécanique* va finir dans la *science naturelle française* proprement dite. Cependant les deux s'entrecroisent dans le cours de leur développement. Nous n'avons pas à étudier ici plus en détail le matérialisme français dérivant directement de *Descartes,* pas plus que l'école française de *Newton,* ni le développement de la science naturelle française en général. Nous nous contenterons à ce sujet de ce qui suit :

Dans sa *physique,* Descartes avait prêté à la *matière* une force créatrice propre et avait conçu le mouvement *mécanique* comme son acte vital. Il avait entièrement séparé la *physique* de sa *métaphysique. A l'intérieur* de sa physique, la *matière* est la *substance* unique, le fondement unique de l'être et de la connaissance.

Le matérialisme *mécaniste* français se rattache à la *physique* de Descartes, mais s'oppose à sa métaphysique : ses disciples ont été des *anti-métaphysiciens* de profession, c'est-à-dire des *physiciens.* Le *médecin Le Roy* a inauguré cette école qui a atteint son apogée avec le médecin *Cabanis,* le médecin *La Mettrie* en est le centre. Descartes vivait encore, lorsque Le Roy étendit à l'âme humaine la construction cartésienne de *l'animal,* en considérant *l'âme* comme un *mode du corps,* et les *idées* comme des *mouvements mécaniques. Le Roy* crut même que Descartes avait dissimulé sa véritable pensée. Descartes protesta. A la fin du

---

de Feuerbach, le dernier philosophe allemand, précède le marxisme. Hegel a été, pour l'Allemagne attardée, ce que les Locke, Hobbes, Bentham, Godwin, etc., ont été pour l'Angleterre, et Descartes, Helvetius, d'Holbach, etc. pour la France et le socialisme de ce pays. Le marxisme, qui surgira en Allemagne comme synthèse et dépassement des socialismes anglais et français, se rattache *formellement* — comme critique qui abolit — à la philosophie allemande. Il ne se relie pas à Hegel, mais à Feuerbach, qui est le dernier maillon qui oscille entre bourgeoisie et prolétariat, mais ne fait pas le pas, à la fin, puisqu'il reste un philosophe qui interprète seulement le monde et ne s'attelle pas à l'œuvre révolutionnaire de sa transformation : cf. les *Thèses sur Feuerbach,* et les rapports de Feuerbach au communisme dans le chapitre « Marx-Engels, rapport avec l'utopisme ».

XVIIIe siècle, *Cabanis* compléta le matérialisme cartésien dans son ouvrage sur les *Rapports du physique et du moral de l'homme.*

Le matérialisme cartésien continue d'exister en France. Il enregistre ses grands succès dans la science naturelle *physique,* à laquelle — « pour parler avec précision et au sens prosaïque » — on peut reprocher tout ce qu'on veut sauf le *romantisme.*

Dès sa naissance donc, la *métaphysique* du XVIIe — représentée par la France surtout par Descartes — fut grevée de son *antagoniste,* le *matérialisme.* Il s'oppose à Descartes lui-même en la personne de *Gassendi,* le restaurateur du matérialisme *épicurien.* Le matérialisme français et anglais resta toujours en rapport intime avec *Démocrite* et *Epicure.* La métaphysique cartésienne trouva un autre adversaire en la personne du matérialiste *anglais Hobbes.* Gassendi et Hobbes n'ont remporté la victoire sur leur adversaire que bien après leur mort, à un moment où Descartes régnait déjà comme puissance officielle sur toutes les écoles françaises[24].

Voltaire a fait observer que l'indifférence des Français du XVIIIe siècle à l'égard des controverses entre jésuites et jansénistes s'expliquait moins par la philosophie que par les spéculations financières de *Law.* De même on ne peut expliquer la ruine de la métaphysique du XVIIe siècle par la théorie matérialiste du XVIIIe que si l'on explique ce mouvement intellectuel par les rapports matériels de la vie française d'alors. Cette vie était tournée vers l'immédiat présent, la jouissance et les intérêts de ce *monde.* A sa praxis antithéorique, antimétaphysique, matérialiste, devaient nécessairement correspondre des théories antithéologiques, antimétaphysiques, matérialistes : la métaphysique avait *pratiquement* perdu tout crédit. Nous n'avons ici qu'à en considérer l'évolution *théorique.*

---

24. Au fond, le rationalisme de Descartes fournit la base de la pensée scientifique bourgeoise dans les *disciplines autres qu'humaines,* où les hommes de science admettent le déterminisme, tandis que le matérialisme français, qui s'occupe de l'individu et du politique, se rattache plus particulièrement au matérialisme anglais de Locke. L'utopisme reprend formellement un certain héritage *de ce dernier courant :* son rationalisme et son illuminisme, pour suppléer à l'immaturité des conditions matérielles.

La métaphysique du XVIIᵉ siècle (qu'on pense à Descartes, Leibniz, etc.) était encore chargée d'un contenu *positif,* profane : elle faisait des découvertes en mathématiques, en physique et d'autres sciences exactes qui semblaient en faire partie. Dès le début du XVIIIᵉ siècle cependant cette apparence s'était évanouie. Les sciences positives s'étaient séparées de la métaphysique et avaient délimité leurs sphères propres. Toute la richesse métaphysique consista désormais uniquement en problèmes de la pensée et du ciel, alors que tous les êtres et toutes les choses réels de ce monde commençaient précisément à absorber tout l'intérêt [25]. La métaphysique était devenue fade. *Helvétius* et *Condillac* naquirent l'année même où moururent les deux derniers grands métaphysiciens français du XVIIᵉ siècle — Malebranche et Arnauld.

Le philosophe qui, *au niveau théorique,* fit perdre leur crédit à la *métaphysique* du XVIIᵉ siècle et à toute métaphysique, fut *Pierre Bayle.* Son arme était le *scepticisme,* forgé par les formules magiques de la métaphysique elle-même. Il partit tout d'abord de la métaphysique cartésienne [26]. De même que *Feuerbach,* en luttant contre la

---

25. C'est l'époque de l'essor de la bourgeoisie marchande et manufacturière, qui achète la monarchie absolue pour ses fins, et crée le marché mondial. C'est la fascinante « action civilisatrice du capital » : « Il faudra donc explorer toute la nature pour découvrir des objets aux propriétés et usages nouveaux, échanger, à l'échelle de l'univers, les produits de toutes les latitudes et de tous les pays, et soumettre les fruits de la nature à des traitements artificiels en vue de leur donner des valeurs d'usage nouvelles. On explorera la terre dans tous les sens, tant pour découvrir de nouveaux objets utiles, que pour donner des valeurs d'usage nouvelles aux anciens objets. On utilisera ceux-ci en quelque sorte comme matière première, *on développera donc au maximum les sciences de la nature...* On s'élève à un niveau social tel que toutes les sociétés antérieures apparaissent comme des *développements* purement *locaux* de l'humanité et comme une *idolâtrie de la nature.* A présent, la nature devient un pur objet pour l'homme — une chose utile. » (MARX, *Grundrisse,* 10/18, t. II, p. 214-215.)

26. Marx-Engels procède de manière admirablement dialectique pour déterminer la chaîne de l'évolution intellectuelle du matérialisme bourgeois. Pourtant, il est difficile d'appliquer la dialectique au niveau de l'« atome » qu'est l'individu et du progrès qu'il peut refléter au niveau social. En ce qui concerne Pierre Bayle, Marx-Engels montrent que le dépassement de la

théologie spéculative, fut poussé à la lutte contre la *philosophie spéculative*, précisément parce qu'il reconnut en la spéculation le dernier pilier de la théologie et dut forcer les théologiens à abandonner leur pseudo-science pour se cantonner dans la *foi grossière* et rebutante, de même Bayle, en doutant de la religion, fut poussé au doute de la métaphysique qui soutenait cette foi. C'est pourquoi il soumit à la critique la métaphysique dans toute son évolution historique. Il s'en fit l'historien pour écrire l'histoire de son trépas, en réfutant surtout *Spinoza* et *Leibniz*.

En dissolvant la métaphysique par le scepticisme, *Pierre Bayle* n'a pas seulement préparé la diffusion en France du matérialisme et le sain bon sens, mais encore annoncé la *société athée* qui ne devait pas tarder à exister, en *démontrant* qu'il *pouvait* exister une société de purs athées, qu'un athée pouvait être un honnête homme, que l'homme se dégradait non par l'athéisme, mais par la superstition et l'idolâtrie. Selon la formule d'un auteur français, *Pierre Bayle* fut « *le dernier des métaphysiciens au sens du* XVIIᵉ *siècle* et *le premier des philosophes au sens du* XVIIIᵉ ».

Après cette réfutation encore négative de la théologie et de la métaphysique du XVIIᵉ siècle, il fallait un système anti-métaphysique *positif*. On avait besoin d'un livre ordonnant en un système la praxis de la vie d'alors et lui donnant un fondement théorique. L'*Essai* de Locke *sur l'entendement humain* vint à point nommé d'outre-Manche. Il fut accueilli avec enthousiasme, comme un hôte attendu avec impatience.

On peut se demander si *Locke* n'est pas un disciple de *Spinoza* ? Laissons répondre l'histoire « profane » : le matérialisme est le *fils inné* de la *Grande-Bretagne*. Déjà son scolastique Duns Scotus s'était demandé « *si la matière ne pouvait pas penser* ».

---

philosophie métaphysique ne peut s'effectuer de l'extérieur ; il faut prendre pied dans l'ancien système pour lui substituer la nouvelle philosophie, qui sera le résultat de cette action dissolvante. La dialectique doit partir de la thèse, passer par l'antithèse (opposition dissolvante de la thèse) pour arriver à la synthèse nouvelle, après le dépassement des thèse et antithèse. Au niveau individuel, l'action de P. Bayle est celle de l'antithèse, qui participe encore de la thèse au pôle négatif. L'utopisme dissoudra de cette manière les vestiges du matérialisme bourgeois dans le corps à corps historique.

Pour opérer ce miracle, il eut recours à la toute-puissance divine, en contraignant la *théologie* elle-même à prêcher le *matérialisme*. Il était de surcroît nominaliste. Le nominalisme [27] est l'élément central du matérialisme *anglais,* et en général c'est la *première expression du matérialisme.* L'ancêtre véritable du *matérialisme anglais* et de toute *science expérimentale,* c'est *Bacon.* La *science fondée sur l'expérience de la nature* est pour lui la véritable science, et la *physique* sensible en est la partie la plus noble. Anaxagore et ses homoioméries [28] ainsi que Démocrite et ses atomes font autorité chez lui le plus souvent. Selon sa doctrine, les *sens* sont infaillibles et la *source* de toutes les connaissances. La science est *science de l'expérience* et consiste à appliquer une *méthode rationnelle* au donné sensible. Induction, analyse, comparaison, observation, expérimentation — telles sont les conditions principales d'une méthode rationnelle. Parmi les propriétés innées de la *matière,* le *mouvement* est la première et la plus éminente, non seulement comme mouvement *mécanique et mathématique,* mais plus encore comme *instinct, esprit vital, impulsion, force, tension* et *tourment* de la matière — pour utiliser l'expression de Jacob Bœhme [29]. Les formes primitives de la matière sont des

---

27. Le *nominalisme* est la doctrine selon laquelle les idées universelles ou essences ne sont pas réalité, ni substance, mais des noms, signes linguistiques, autrement dit la réalité est un ensemble individualisé et la connaissance du monde ne peut provenir que de la connaissance empirique d'individus.

28. Les *homoioméries* sont chez Anaxagore les principes de la réalité : de petites particules semblables et indéfiniment divisibles, d'un nombre infini de qualités.

29. Nous avons ainsi la grandeur et la misère du matérialisme bourgeois : méthode expérimentale rationnelle de la science de la nature physique, mais qui réduit le monde à l'*individu,* sujet sensible. L'*universalisme* de la métaphysique antérieure est ainsi ramené au principe *individuel,* avec les théories de l'empirisme, du sensualisme et de l'utilitarisme. Ce n'est plus un but ou un être *au-dessus* des individus qui organise et détermine la vie et l'activité des hommes, l'universel et les normes sociales doivent désormais *se déduire logiquement de la nature sensible de l'individu.* L'universalité et les catégories générales ne déterminent plus à l'avance l'individu (*universalia ante rem* de la société hiérarchisée et autoritaire précapitaliste) ; l'universalité procède maintenant de l'individu (bourgeois) : son intérêt, sa raison, sa volonté, ses normes créeront, par un libre pacte égalitaire des individus, l'universel social, l'Etat démocratique bourgeois. Ce

forces essentielles, vivantes, individualisantes, **inhérentes** à elle, et ce sont elles aussi qui produisent les différences spécifiques.

Chez Bacon, son fondateur, le matérialisme recèle encore, de façon ingénue, les germes d'un développement en tous sens. La matière, dans sa splendeur poétiquement sensible, sourit à tout l'homme. En revanche, la doctrine aphoristique, elle, fourmille encore d'inconséquences théologiques.

Dans son développement ultérieur, le matérialisme deviendra *unilatéral.* C'est *Hobbes* qui systématise le matérialisme *baconien.* Le sensible perd son charme, et devient monde sensible mesurable du *géomètre.* Le mouvement *physique* est sacrifié au mouvement *mécanique* ou *mathématique* : la géométrie est proclamée science principale. Le matérialisme devient *misanthrope.* Pour pouvoir vaincre sur son propre terrain l'esprit *misanthrope* et *désincarné,* le matérialisme lui-même est obligé de mortifier sa chair et

---

sera chez Bentham, Locke, Rousseau aussi bien que chez Hegel, l'inversion proprement idéaliste des rapports réels.

Tous les philosophes bourgeois qui vont suivre les premiers matérialistes anglais et français (qui ont brisé l'universalisme métaphysique antérieur pour créer la catégorie fondamentale de l'individu) vont se préoccuper de créer de nouveau l'Etat correspondant à cet individu complètement abstrait et idéal aux yeux du marxisme, bien qu'il soit le produit du matérialisme bourgeois. Sur un individu idéal, Hegel construira son Etat absolu, autre construction abstraite de la philosophie bourgeoise, alors qu'il témoigne de l'opposition réelle qui existe entre la base économique et la société bourgeoise civile, réelle.

Les utopistes présenteront les germes réels du communisme sous une enveloppe philosophique bourgeoise : tandis que les bourgeois tireront leurs institutions sociales de l'intérêt de l'individu, les utopistes déduiront leurs modèles de société de ce même intérêt « rationnel », non pas de l'égoïste bourgeois, mais de l'homme en général, y compris la masse des pauvres, dont le droit naturel est le *droit au bonheur,* en fonction de quoi se modèle la société utopique. Les socialistes utopiques abolissent l'Etat et refusent les conséquences économiques de la révolution bourgeoise, en rompant avec la philosophie matérialiste bourgeoise avant que celle-ci construise ses catégories générales, universelles, les principes qui aboutissent à l'Etat. Bref, ils n'acceptent que la base individuelle de la philosophie matérialiste bourgeoise. Le socialisme scientifique balaiera cette base individuelle, héritée de la bourgeoisie révolutionnaire, que l'utopisme lui-même commence à dissoudre, lorsqu'il revendique la généralisation de l'acquis à *tous* les individus.

de devenir *ascète*. Il se présente comme un *être de raison*, et développe en même temps la logique inexorable de l'entendement.

Si le sensible fournit à l'homme toutes les connaissances — démontre Hobbes en partant de Bacon —, l'intuition, l'idée, la représentation, etc., ne sont que des fantasmes du monde des corps, plus ou moins dépouillé de sa forme sensible. Tout ce que la science peut faire, c'est de donner un nom à ces fantômes. Un seul et même nom peut être donné à plusieurs fantômes. Il peut même y avoir des noms de noms. Mais il serait contradictoire, d'une part, de vouloir chercher dans le monde sensible l'origine de toutes les idées et, d'autre part, d'affirmer qu'un mot est plus qu'un mot et qu'en dehors des entités représentées, toujours singulières, il existe encore des entités universelles. Une *substance incorporelle* est bien plutôt aussi contradictoire qu'un *corps incorporel. Corps, être, substance,* tout cela est une seule et même idée *réelle.* On ne peut séparer la pensée d'une matière *qui* pense. Elle est le sujet de tous les changements. La notion d'*infini* n'a pas de *sens,* si elle ne signifie pas la capacité de notre esprit d'ajouter san fin. Etant donné que la matière seule est connaissable, nous ne savons *rien* de l'existence de Dieu. Seule est certaine ma propre existence. Toute passion humaine est un mouvement mécanique, qui finit ou commence. Les objets des impulsions sont le bien. L'homme est subordonné aux mêmes lois que la nature. Puissance et liberté sont identiques...

Nous avons déjà fait observer combien l'ouvrage de Locke vint à point nommé pour les Français. Locke avait jeté les bases de la philosophie du *bon sens,* de la saine raison humaine : par un détour, il avait dit qu'il n'existait pas de philosophie distincte des sens humains normaux et de la raison fondée sur eux.

Le disciple *direct,* l'interprète *français* de Locke, *Condillac* dirigea aussitôt le sensualisme de Locke contre la *métaphysique* du XVIIᵉ siècle. Il démontra que les Français avaient repoussé à bon droit cette métaphysique comme une simple élucubration de l'imagination, un préjugé théologique. Il publia une réfutation des systèmes de *Descartes, Spinoza, Leibniz* et *Malebranche.*

Dans son *Essai sur l'origine des connaissances humaines,* il développa les idées de Locke et démontra que non seulement l'âme, mais encore les sens, non seulement l'art de former les idées, mais encore l'art de la perception sensible, sont affaire d'*expérience* et d'*habitude*. Tout le développement de l'homme dépend donc de l'*éducation* et des *circonstances externes*. Condillac n'a été évincé des écoles françaises que par la philosophie *éclectique* [30].

Ce qui distingue le matérialisme français du matérialisme anglais, c'est la différence des deux nationalités. Les Français ont doté le matérialisme anglais d'esprit, de chair et de sang, de persuasion. Ils lui ont conféré la verve qui lui faisait défaut, et la grâce. Ils le *civilisèrent*.

Helvétius, qui part également de Locke, donne au matérialisme son caractère spécifiquement français. Il le conçoit d'emblée par rapport à la vie sociale (cf. Helvétius, *De l'homme*). Les propriétés sensibles et l'amour-propre, la jouissance et l'intérêt personnel bien compris — tels sont les fondements de toute morale à ses yeux. L'égalité naturelle des intelligences humaines, l'unité entre le progrès de la raison et le progrès de l'industrie, la bonté naturelle de l'homme, la toute-puissance de l'éducation — tels sont les principes essentiels de son système [31].

Dans ses écrits, *La Mettrie* combine le matérialisme cartésien et le matérialisme anglais. Il observe la physique de Descartes jusque dans les détails. Son *homme-machine* est calqué sur l'*animal-machine* de Descartes. Dans le *Système de la nature* d'Holbach, la partie physique résulte également de l'amalgame des matérialismes anglais et français, tout comme la partie morale est fondée essentiellement sur la morale d'Helvétius.

---

30. Condillac a publié sa réfutation des philosophies de Descartes, Spinoza, Leibniz et Malebranche dans le *Traité des systèmes* de 1749. Condillac eut une grande influence en France jusque dans les premières décennies du XIXe siècle, et ses principaux disciples furent Cabanis et Destutt de Tracy. Ce n'est qu'en 1820-1830 que se développa le spiritualisme éclectique de Victor Cousin.

31. Tous ces principes et contre-vérités — pour preuve, disons simplement que le progrès de l'industrie ne fait qu'accroître l'aliénation, les inégalités sociales, l'abrutissement dans les conditions réelles, historiques, qui se sont aussi développées sous les yeux de ces philosophes — ont été repris par les utopistes, comme des qualités inhérentes à l'homme pour construire leur société rationnelle. C'est évidemment ce système philosophique que le marxisme devra dissoudre pour dégager les germes de socialisme contenus dans les écrits des utopistes. Quoi qu'il en soit, le système est bien l'aspect formel et secondaire par rapport au contenu ou intuitions des utopistes.

Le matérialiste français qui a conservé le plus d'attaches avec la métaphysique, et reçoit pour cela les compliments de Hegel — Robinet, *De la Nature* —, se relie expressément à *Leibniz*.

Nous n'avons pas besoin de parler de Volney, Dupuis, Diderot, etc., pas plus que des physiocrates, dès lors que nous avons démontré la double origine du matérialisme français, issu de la physique de Descartes et du matérialisme anglais, ainsi que l'opposition du matérialisme français à la *métaphysique* du XVIIᵉ siècle de Descartes, Spinoza, Malebranche et Leibniz. Cette opposition ne pouvait se manifester aux yeux des Allemands qu'à partir du moment où eux-mêmes se trouvèrent en opposition avec la *métaphysique spéculative*.

De même que le matérialisme *cartésien* a son aboutissement dans la *science de la nature proprement dite,* de même l'autre tendance du matérialisme français débouche directement sur le *socialisme* et le *communisme.*

Il n'est pas besoin d'une grande perspicacité pour saisir le *lien* qui existe nécessairement entre le matérialisme, d'une part, et le socialisme et le communisme, d'autre part[32]. Ce lien apparaît dans les thèses matérialistes sur la bonté originelle et l'égalité des dons intellectuels des hommes, la toute-puissance de l'expérience, de l'habitude, de l'éducation, de l'influence des circonstances extérieures sur l'homme, de la haute importance de l'industrie, la légitimité de la jouissance, etc. Si l'homme tire toute connaissance, toute sensation, etc., du monde sensible et de l'expérience de ce monde, il importe d'organiser le monde empirique de manière que l'homme puisse y vivre humainement et y éprouver son humanité, il importe qu'il devienne humain par habitude. Si l'intérêt bien compris est le principe de toute morale, il importe que l'intérêt privé de l'homme

---

32. Dans diverses notes aux ouvrages de cette période, Engels fait remarquer lors de rééditions ultérieures qu'il n'entendait pas alors (1844) par là, et pour cause, le socialisme scientifique de Marx. Cf. par exemple, *Misère de la philosophie,* chap. II, 5 et la préface anglaise de 1888 du *Manifeste.*
De fait, le matérialisme bourgeois français ne débouche pas directement sur le socialisme de Marx-Engels : tout l'exposé systématique et la fin de ce texte lui-même montrent que cet intermédiaire est le socialisme prémarxiste utopique, dont Marx-Engels feront encore la critique.

coïncide avec l'intérêt humain. Si l'homme n'est pas libre —
au sens matérialiste, autrement dit s'il est libre, non par la
force négative d'éviter telle ou telle chose, mais par la force
positive de mettre en valeur sa véritable individualité, il ne
faut pas châtier le crime dans l'individu, mais détruire les
foyers antisociaux du crime et donner à chacun l'espace
social nécessaire à l'épanouissement vital de son être. Si
l'homme est formé par les circonstances, il faut former les
circonstances de manière humaine. Si l'homme est sociable
par nature, il ne peut développer sa véritable nature que
dans la société, et la puissance de sa nature doit se mesurer,
non à celle de l'individu singulier, mais à celle de la société.

Ces principes et d'autres semblables se rencontrent presque
textuellement, même chez les plus anciens matérialistes français. Ce n'est pas le lieu de les juger ici. Caractéristique de
la tendance socialiste est l'*Apologie des vices* de *Mandeville,*
disciple anglais assez ancien de Locke. Mandeville démontre
que les vices sont *indispensables* et *utiles* dans la *présente*
société, sans qu'il fasse pour autant l'apologie de cette
société.

Fourier procède immédiatement de la doctrine des matérialistes français. Les *babouvistes* étaient des matérialistes,
certes grossiers et non civilisés. Mais même le communisme
développé *date* directement du matérialisme français [33]. En

---

33. Le socialisme scientifique n'est en aucune façon une
élaboration progressive de tous les grands penseurs de l'humanité, ni la continuation logique du matérialisme bourgeois : le
prolétariat n'est pas le prolongement de la bourgeoisie, puisqu'il
existe simultanément à l'autre pôle du rapport capitaliste. Le
bourgeois n'a pas créé l'usine où travaille le prolétaire, et il
n'a fait qu'engager la force de travail, devenue libre au cours
de l'accumulation primitive à la suite de la dissolution des rapports féodaux.
Il est normal que le prolétariat naissant soit imprégné du
matérialisme développé au cours de la lutte antiféodale. Remarquons à ce propos qu'à chaque mode de production nouveau
correspond une superstructure idéologique ou philosophique
déterminée, et le marxisme n'est rien d'autre que la théorie nouvelle du prolétariat, surgie d'un bloc de l'histoire dans les années
1848 après la longue période d'incubation du socialisme utopique. Il est rupture totale avec les autres classes, modes de production et idéologies. Il ne peut en être autrement, puisque les
idées ne sont pas le produit de la pensée humaine, mais l'expression et la réaction idéelle des conditions matérielles. Elles
jaillissent des bouleversements matériels des rapports de produc-

fait, sous la forme que lui a donnée *Helvétius,* il retourne dans sa mère-patrie — l'*Angleterre. Bentham* fonde sur la morale de Helvétius son système de l'*intérêt bien compris,* de même *Owen,* en partant du système de *Bentham,* fonda le communisme anglais. Exilé en Angleterre, *Cabet* s'inspire des idées communistes qui y ont cours et retourne en France pour y devenir le représentant le plus populaire et aussi le plus superficiel du communisme. Les communistes français plus scientifiques — *Dézamy, Gay,* etc. — développent, comme Owen, la doctrine du matérialisme en tant que doctrine de l'*humanisme réel* et base *logique du communisme.*

---

tion sociaux. A chaque mode de production et révolution qui l'introduit sur la scène historique, surgit un bloc idéologique entier qui reflète les rapports de la société nouvelle avec la nature.

Tant que les révolutions sont partielles, les protagonistes en ont une vision tronquée, car l'idéologie dominante des classes au pouvoir prétend que le progrès réalisé l'est au profit de tous, alors qu'il n'est qu'un petit pas en avant (pour toute l'humanité) qui est finalement monopolisé par la classe dominante, qui bloque l'histoire afin d'empêcher la chute de son système social, à présent périmé.

On pourrait donc dire que c'est faire cadeau du matérialisme tout entier à la bourgeoisie, car elle subtilise après la victoire les conquêtes de toute cette ère, comme elle rafle la plus-value des prolétaires. S'il est vrai que la bourgeoisie provoque un progrès partiel pour toute l'humanité, ce n'est que transitoirement. Car sa prétention d'universalité devient grotesque, lorsque l'exploitation des masses devient atroce et qu'elle arbore les droits de l'homme et du citoyen abstraits et dépourvus d'effet pratique, et que, de surcroît, elle bloque l'histoire pour éviter toute progression ultérieure.

Le matérialisme, comme la dialectique, est un produit qui surgit nécessairement de l'histoire, chaque fois qu'elle se met en mouvement, lors des diverses révolutions qui aboutissent à l'instauration d'un mode de production nouveau. C'est le produit des antagonismes et contradictions qui meuvent la société et la production et atteignent leur comble dans les révolutions. La pensée des protagonistes de tels drames est toujours matérialiste et dialectique, quelle que soit la forme rationnelle ou fantastique sous laquelle ils l'expriment. Engels n'a jamais reculé devant l'affirmation que Münzer était un communiste, bien qu'il fût moine. Le langage religieux n'est pas plus sot que celui de la raison qui nie la dialectique, son mouvement et ses contradictions. A chaque fois que l'histoire se met en mouvement, la pensée devient dialectique et matérialiste, sous forme de l'ins-

REMARQUE : La plupart des ouvrages *français* modernes d'histoire de la philosophie du XVIIIᵉ exposent en détail la connexion du matérialisme français avec Descartes et Locke, ainsi que l'opposition de la philosophie du XVIIIᵉ siècle à la métaphysique du XVIIᵉ. Pour répondre à la Critique critique, nous n'avions ici qu'à répéter des choses connues. En revanche, la connexion du matérialisme du XVIIIᵉ siècle avec le communisme anglais et français du XIXᵉ siècle doit encore faire l'objet d'un exposé détaillé. Nous nous bornons ici à citer quelques passages significatifs d'Helvétius, Holbach et Bentham.

1. *Helvétius :* « Les hommes ne sont point méchants, mais soumis à leurs intérêts. Ce n'est donc point de la méchanceté des hommes qu'il faut se plaindre, mais de l'ignorance des législateurs, qui ont toujours mis l'intérêt particulier en opposition avec l'intérêt général. » « Jusqu'aujourd'hui, les plus belles maximes de la morale [...] n'ont produit aucun changement dans les mœurs des nations. Quelle en est la cause ? C'est que les vices d'un peuple sont, si j'ose dire, toujours cachés au fond de sa législation. A la Nouvelle-

---

tinct, de l'intuition ou de la pensée plus ou moins fantastique. C'est évident dès que l'on s'attache non à la forme mais au contenu.

La bourgeoisie qui prétend faire la révolution au nom de tous est bien obligée d'abandonner sa philosophie première, quand l'exploitation se fait manifestement trop impitoyable et qu'elle bloque tout progrès social ultérieur. Les idées révolutionnaires de la bourgeoisie se discréditent alors elles-mêmes sous la pression des faits, et ce n'est pas au prolétariat de ramasser dans la fange l'étendard suranné. Au contraire, il doit suivre son action au niveau supérieur de l'histoire où il se trouve, depuis sa naissance, et se débarrasser des scories qui s'accrochent inévitablement à lui dans sa période d'enfance.

Les grands utopistes se rattachent déjà historiquement par le contenu de leurs idées aux premiers combattants *communistes* de la révolution antiféodale (on notera qu'Engels ne parle pas de révolution *bourgeoise* quand il considère ces événements sous l'angle du parti de classe). Ils sont obligés de faire appel à la philosophie matérialiste et rationaliste bourgeoise pour justifier la forme de leurs idées (systèmes et modèles fantastiques de société) et faire passer leurs intuitions communistes. Le marxisme, lui, part d'emblée d'une vision scientifique et développe les germes de communisme sur la base du matérialisme historique et économique.

Orléans, les princesses du sang peuvent, lorsqu'elles se dégoûtent de leurs maris, les répudier pour en épouser d'autres. En de tels pays, on ne trouve point de femmes fausses, parce qu'elles n'ont aucun intérêt à l'être. » « La morale n'est qu'une science frivole, si l'on ne la confond avec la politique et la législation. » « Les moralistes hypocrites [...] on les reconnaît, d'une part, à l'indifférence avec laquelle ils considèrent les vices destructeurs des empires ; et, de l'autre, à l'emportement avec lequel ils se déchaînent contre des vices particuliers. » « Les hommes ne naissent ni bons ni méchants, mais prêts à être l'un ou l'autre, selon qu'un intérêt commun les unit ou les sépare. » « Si les citoyens ne pouvaient faire leur bonheur particulier sans faire le bien public, il n'y aurait alors de vicieux que les fous. [34] » Pour Helvétius, l'éducation — et, par là, il entend [35] non seulement l'éducation au sens ordinaire, mais encore la totalité des rapports de la vie d'*un* individu — forme l'homme, et en conséquence, pour mettre en œuvre une semblable réforme nécessaire qui abolisse la contradiction entre l'intérêt particulier et l'intérêt général, il faut une transformation de la conscience : « On ne peut réaliser les grandes réformes qu'en affaiblissant la stupide vénération des peuples pour les vieilles lois et coutumes [36] » ou encore, comme il l'écrit ailleurs, en supprimant l'ignorance.

2. *D'Holbach* : « Ce n'est que lui-même que l'homme peut aimer dans les objets qu'il aime ; ce n'est que lui-même qu'il peut affectionner dans les êtres de son espèce. » « L'homme ne peut jamais se séparer de lui-même dans aucun instant de sa vie ; il ne peut se perdre de vue. C'est toujours notre utilité, notre intérêt [...] qui nous fait haïr ou aimer les objets. [37] » Mais : « L'homme, pour son propre intérêt doit aimer les autres hommes, puisqu'ils sont nécessaires à son bien-être. [...] La morale lui prouve que, de tous les êtres, *le plus nécessaire à l'homme, c'est l'homme* [38]. »

---

34. *De l'esprit*, Paris, 1822, I, p. 117, 240, 241, 249, 251, 269, 339.
35. Cf. *ibid.*, p. 390.
36. *Ibid.*, p. 260.
37. *Système social*, Paris, 1822, I, p. 80, 112.
38. Les sociaux-démocrates comme les prétendus communistes, qui ne jurent que par la conquête pacifique de l'*Etat* bourgeois, passent sous silence en général le maillon intermédiaire des utopistes et l'héritage de ceux-ci dans le marxisme, mais soulignent

« La vraie morale, ainsi que la vraie politique, est celle qui cherche à approcher les hommes, afin de les faire travailler par ces efforts réunis à leur bonheur mutuel. Toute morale qui sépare *nos intérêts de ceux de nos associés* est fausse, insensée, contraire à la nature. » « Aimer les autres [...], c'est confondre *nos intérêts avec ceux de nos associés, afin de travailler à l'utilité commune* [...]. La vertu n'est que l'*utilité* des hommes réunis en société. » « Un homme sans passions ou sans désirs cesserait d'être un homme. [...] Parfaitement détaché de lui-même, comment pourrait-on le déterminer à s'attacher à d'autres ? Un homme, indifférent pour tout, privé de passions, qui se suffirait à lui-même, ne serait plus un être sociable. [...] La vertu n'est que la *communication du bien.* » « La morale religieuse ne servit jamais à rendre les mortels plus sociables[39]. »

3. *Bentham.* Nous ne citerons de lui qu'un passage, celui où il combat l'intérêt général au sens politique : « L'intérêt des individus [...] doit céder à l'intérêt public. Mais qu'est-ce que cela signifie ? Chaque individu n'est-il pas partie du public autant que chaque autre ? Cet intérêt public, que vous personnifiez, n'est qu'un terme abstrait ; il ne représente que la masse des intérêts individuels. [...] S'il était

----

la connexion du socialisme scientifique avec le matérialisme français.

Staline, devenu par la contre-révolution, le prophète de l'accumulation capitaliste en Russie, se rattache ainsi aux matérialistes bourgeois. Sa formule « l'homme est le capital le plus précieux en U.R.S.S. » se rattache complètement à la conception des d'Holbach et autres Bentham. Ses successeurs qui ont encore développé le stakhanovisme, en lui donnant une base financière, avec les fameuses incitations matérielles à produire, ont généralisé le principe bourgeois, selon lequel l'intérêt personnel coïncide avec l'intérêt collectif dans la société « socialiste » qui en Russie est fondée sur le capital, l'argent, le salaire, la forme marchande de la force de travail et des produits.

En France, à une échelle ridicule, les professeurs qui ont adhéré au « communisme » trouvent des satisfactions mesquines, professionnelles et intellectuelles, dans ce « communisme » qui se rattache si bien au matérialisme bourgeois français. Ce n'est pas par hasard qu'ils rattachent ainsi le marxisme, non pas à l'utopisme, où l'on trouve encore des germes de communisme, mais à une philosophie qui ne peut qu'avoir dégénéré depuis Diderot, Voltaire et d'Holbach.

39. *Ibid.*, p. 76, 116, 77, 118, 36.

bon de sacrifier la fortune d'un individu pour augmenter celle des autres, il serait encore mieux d'en sacrifier un second, un troisième, sans qu'on puisse assigner aucune limite. [...] Les intérêts individuels sont les seuls intérêts réels. [40] »

Communisme et abolition de l'Etat

L'abolition de l'Etat n'a de sens que chez les communistes parce qu'elle y est le résultat nécessaire de l'élimination des classes avec laquelle tombe de lui-même le besoin du pouvoir organisé d'une classe afin de tenir les autres sous le joug [41]. Dans les pays *bourgeois*, l'abolition de l'Etat ne signifie rien d'autre que la réduction du pouvoir étatique à l'échelle de

40. *Théorie des peines et des récompenses...*, Paris, 1835, 3e éd., II, p. 229-230.
Cet ouvrage a été rédigé en français par Etienne Dumont, disciple et ami de Jeremy Bentham sur la base des écrits et notes de Bentham.
Dans le recueil suivant (MARX-ENGELS, *Les Utopistes*), se trouvent rassemblés les textes sur la transition, postérieure aux rapports avec le matérialisme et le rationalisme, de l'utopisme au socialisme scientifique.
41. Cet article, intitulé « Au sujet de la revendication de l'abolition de l'Etat et des " Amis de l'anarchie " », a été écrit par Engels pour *La Nouvelle Gazette rhénane. Revue politique et économique,* octobre 1850, no V. Il y polémique contre les positions individualistes bourgeoises et anarchistes des jeunes-hégéliens de Berlin. L'anarchisme se rattache au point faible de l'utopisme, la négation immédiate et stérile de l'utilité de l'Etat pour la transition pratique au socialisme.
Aux yeux d'Engels, la revendication de l'abolition de l'Etat est stérile — « utopique » au sens d'un désir paré de la nécessité du rationnel donc de l'Idée —, si elle n'est pas conçue comme le fruit du développement *matériel* de la société et de l'économie réelles dans la lutte de classes avec l'utilisation des moyens de réalisation politiques que sont la conscience, l'organisation et la violence. Il démontre que cette idée est irréelle, donc fausse chez les anarchistes en particulier, dont les efforts — pour autant même qu'ils existent — n'attaquent pas la société matérielle à laquelle ils prétendent s'attaquer, de sorte que leur théorie reste simplement un « idéal » qui laisse en place toutes les institutions existantes et ne fait que fourvoyer l'action des révoltés.

celui qu'il a en Amérique du Nord, où les contradictions de classe ne sont encore guère développées, les affrontements de classe y étant à chaque fois estompés par le retrait de la surpopulation prolétarienne vers l'Ouest, si bien que le pouvoir d'Etat intervient au minimum à l'Est et n'existe pas du tout à l'Ouest. Dans les pays *féodaux,* l'abolition de l'Etat signifie l'élimination du féodalisme et l'instauration d'un Etat bourgeois ordinaire. En Allemagne, cette formule ne fait que recouvrir soit une fuite couarde devant les luttes en cours, dans l'immédiat, soit une élévation abusive et charlatanesque de la liberté *bourgeoise* jusqu'à l'autonomie et l'indépendance absolues de l'*individu,* soit enfin l'indifférence du bourgeois vis-à-vis de toute forme d'Etat — à condition qu'elle n'entrave pas l'essor des intérêts bourgeois. Si cette abolition de l'Etat « au sens le plus sublime » est prônée de façon si inepte, les Stirner et Faucher de Berlin n'y sont naturellement pour rien : la plus belle fille de France ne peut donner que ce qu'elle a. (Ce passage a déjà été publié dans *La Nouvelle Gazette rhénane. Revue* d'avril 1850, n° IV.)

Depuis l'abolition de l'Etat, l'*anarchie,* est devenue un mot d'ordre à la mode en Allemagne. Les différents émules de Proudhon [42], la « sublime démocratie berlinoise et même les feus « nobles esprits de la nation » du Parlement du Stuttgart et de la régence d'Empire [43] ont tous assimilé, chacun à sa manière, ce mot d'ordre d'allure féroce.

Toutes ces fractions sont unanimes dans leur désir de préserver la *société* bourgeoise existante. Or en défendant la société bourgeoise, elles défendent nécessairement la domination de la bourgeoisie et, en Allemagne, la conquête du pouvoir par la bourgeoisie. Elles se distinguent des véritables représentants de la bourgeoisie uniquement par la forme insolite qu'elles se donnent en prétendant « aller plus loin » et avancer « jusqu'à l'extrême ». Cette apparence se

---

42. Allusion entre autres à Karl Grün et Arnold Ruge, traducteurs allemands des ouvrages de Proudhon, et à la publicité tapageuse qu'ils entreprenaient dans la presse.

43. Allusion aux députés de « gauche » du Parlement de Stuttgart, Ludwig Simon et Karl Vogt qui, de surplus, était l'un des cinq régents d'Empire. Ces deux compères publièrent en 1850 dans la *Deutsche Monatsschrift* des articles dans lesquels ils faisaient l'éloge de l'anarchie et prêchaient l'abolition de tout Etat.

dissipe cependant dans les affrontements réels : face à la *véritable* anarchie dans les crises révolutionnaires où (le pouvoir d'Etat disparut devant la violence des masses et [44]) les masses et l'Etat se sont opposés avec la « force brutale », ces représentants de l'anarchie ont fait tout leur possible pour couper court à l'anarchie : le contenu de cette fameuse « anarchie » se ramenait en dernière analyse à ce qu'on appelle l' « ordre » dans les pays plus développés. De fait, les « Amis de l'anarchie » d'Allemagne forment une *entente cordiale* complète avec les « amis de l'ordre » en France.

Lorsque les amis de l'anarchie ne se rattachent pas aux Français Proudhon et Girardin, mais que leurs conceptions sont d'origine germanique, ils ont tous la même source — *Stirner*. La période de dissolution de la philosophie allemande a fourni au parti démocratique d'Allemagne la plupart de ses slogans. Les idées et la phraséologie, notamment de Feuerbach [45] et de Stirner, ont imprégné, sous une forme certes assez diluée, la conscience de ceux qui faisaient dans la presse et les belles-lettres politiques vulgaires dès avant la révolution de février 1848, d'où les principaux porte-parole des démocrates tirèrent leurs slogans après Mars 1848. Les prêches de Stirner sur l'absence de l'Etat sont tout faits pour conférer la « sanction éminente » de la philosophie allemande à l'anarchie de Proudhon et à l'abolition de l'Etat de Girardin. Certes l'ouvrage de Stirner *L'Unique et sa propriété* est tombé dans l'oubli, mais ses conceptions, notamment sa critique de l'Etat, refont surface chez les amis de l'anarchie. Nous avons déjà examiné les sources françaises de ces messieurs [46]. Pour ce qui concerne leurs sources allemandes, il faudrait nous replonger dans la philosophie allemande antérieure à son naufrage. S'il faut s'occuper de la polémique allemande de tous les jours, il

44. Engels avait barré dans son manuscrit ce passage. Nous l'avons mis entre parenthèses, afin de permettre au lecteur de se faire une idée des faits auxquels Engels fait allusion.

45. Les espoirs qu'Engels entretenait en 1844 à propos de Feuerbach (cf. p. 59) ne se sont donc pas vérifiés, comme il le dit lui-même.

46. Engels fait allusion à l'article du cahier d'avril 1850 de *La Nouvelle Gazette rhénane. Revue politique et économique,* n° X, qui critique le livre d'Emile de GIRARDIN, *Le Socialisme et l'impôt.*

vaut toujours mieux s'adresser aux pères de telle ou telle idée qu'à ceux qui font commerce de seconde main :

O muses, sellez-moi une fois encore l'hippogriffe
Pour une course dans la vieille campagne romantique [47] !

Avant d'aborder l'ouvrage cité de Stirner, il faut nous reporter dans la « vieille campagne romantique », l'époque oubliée qui a vu naître ce livre. En se cramponnant aux difficultés financières du gouvernement allemand, la bourgeoisie allemande avait commencé à grignoter le pouvoir politique et à cette même époque déjà le mouvement communiste prenait de jour en jour plus d'ampleur au sein du prolétariat, alors que le mouvement bourgeois constitutionnel s'amorçait à peine. Les éléments bourgeois de la société, ayant encore besoin du soutien du prolétariat pour parvenir à leurs fins, devaient partout afficher un pseudo-socialisme — le parti féodal et conservateur n'était-il pas lui-même obligé de faire des promesses au prolétariat ? A côté de la lutte des bourgeois et des paysans contre l'aristocratie féodale et la bureaucratie, il y avait la lutte des prolétaires contre les bourgeois — et entre eux une série d'intermédiaires, socialistes réactionnaires, petits-bourgeois et bourgeois. Or toutes ces luttes et tous ces efforts étaient matés, et ne pouvaient s'exprimer, sous le joug du pouvoir d'Etat et de la censure, et toutes les associations et réunions étaient interdites. Telle était la situation des partis, tandis que la philosophie allemande célébrait ses derniers médiocres triomphes.

D'emblée, la censure obligea tous les éléments plus ou moins gênants à choisir un mode d'expression aussi abstrait que possible. Or la tradition philosophique allemande, parvenue alors à la dissolution complète de l'école hégélienne, offrait son jargon. La bataille engagée contre la religion se poursuivait. Plus il était difficile de soutenir la lutte politique dans la presse contre le pouvoir en place, plus cette lutte se poursuivait gaillardement sous sa forme religieuse et philosophique. La philosophie allemande, sous cette forme diluée, devint le bien commun de tous les esprits « éclairés » — et plus elle gagnait en audience, plus les idées des philosophes se dissolvaient, devenaient confuses et fades. Or c'est précisément cette trivialité et cette fadeur qui leur conféraient le plus de prestige aux yeux du public « éclairé ».

La confusion qui régnait dans les esprits « éclairés » était

---

47. Extrait du poème *Obéron* de Wieland.

horrible et ne faisait qu'augmenter. C'était un méli-mélo d'idées d'origine allemande, française, anglaise, antique, médiévale et contemporaine. Cette confusion était d'autant plus grande que toutes ces idées parvenaient de seconde, troisième et quatrième main et circulaient sous une forme altérée au point d'être méconnaissables. Les idées des libéraux et socialistes français et anglais aussi bien que celles des Allemands, par exemple de Hegel, partageaient ce sort. Toute la littérature de cette époque, et notamment le livre de Stirner[48], comme nous allons le voir, en offre des preuves infinies, et toute la littérature allemande contemporaine en souffre encore.

Au milieu de cette confusion, les joutes d'idées qui agitaient les philosophes passaient pour le reflet d'affrontements réels. Chaque « tournant nouveau » en philosophie soulevait l'attention générale de tous les esprits éclairés qui groupent en Allemagne un nombre infini de têtes creuses — de référendaires et d'enseignants en mal de poste aux théologiens ratés, médecins sans clients et littérateurs, etc. Pour eux, chaque « tournant nouveau » était censé surmonter et régler pour toujours une phase de développement historique. A peine un quelconque philosophe avait-il soumis à la critique le libéralisme bourgeois, par exemple, qu'il était considéré comme mort, rayé de l'évolution historique et anéanti jusque dans la pratique. Il en fut ainsi du républicanisme, du socialisme, etc. Combien ces degrés de développement avaient été réellement « surmontés », « dépassés » et « liquidés », c'est ce qui devint évident par la suite, au cours de la révolution, où ils jouèrent le rôle principal et où il ne fut plus question de leurs détracteurs philosophiques.

La forme et le contenu misérables, la platitude arrogante et la fadaise grandiloquente, la trivialité indescriptible et le manque de dialectique de ces derniers philosophes allemands dépassent tout ce qui a pu jamais paraître dans ce domaine. Elles ne sont atteintes que par l'incroyable crédulité du public qui prend tout cela pour de l'argent comptant, du neuf et de l' « inédit ». La nation allemande, si méticuleuse et si profonde[49]...

---

48. Dans *L'Idéologie allemande,* Marx-Engels ont soumis l'ouvrage de Stirner à une critique approfondie et détaillée. Cf. également Engels à Marx, le 19 novembre 1844, in *Correspondance* (novembre 1835 - décembre 1845), Ed. sociales, 1971, t. I, p. 344-348.

49. Le manuscrit s'interrompt ici.

Index des idées

ABOLITION des classes, de l'argent, etc. 6, 18, 20, 21, 23, 30, 34, 44, 54, 62, 64, 82, 90, 97, 100-101, 102, 107, 112-113, 115, 116, 119, 121, 122, 123, 125, 131, 132, 135, 142, 158, 175
  - de l'antagonisme entre ville et campagne 40-43, 81-82, 84, 86, 87, 90, 91-92, 93, 94
  - de la différence entre industrie et agriculture 86-87, 90, 92, 95, 122
  - de la division du travail 88, 89, 90, 91-92, 125
  - des métiers 88-89, 92. cf. *Division du travail, Etat, Famille, Utopisme*

AGRICULTURE et régression 98. cf. *Ecologie*

ALIÉNATION 87, 89, 92, 125, 135, 144, 148, 153, 168

ALLEMAGNE 8, 27, 32, 42, 43, 45, 47-48, 49, 50-52, 55-58, 59, 60, 91, 176

AMÉRIQUE DU NORD 31, 32, 37, 57, 62, 65-70, 95, 118, 176

ANARCHIE SOCIALE 19, 27, 38, 39, 53, 89, 118, 120, 127, 155

ANGLETERRE 8, 14, 27, 28, 42, 45, 48-50, 51, 52, 54, 58, 61, 62, 91, 102, 110, 111, 112, 113, 116, 118, 145-146

ART 7, 10, 23. cf. *Intuition, Plans utopiques, Science*

ASSOCIATION 61-62, 66, 70, 72, 113
  - des travailleurs 43, 111-114, 122, 123

BABOUVISME 22-23, 137, 145-146, 150, 170. cf. *Filiation*

BELGIQUE 58, 91, 102

CHINE 52

CHÔMAGE 5, 38-39, 43, 47, 51, 52, 62, 74. cf. *Colonies*

CIRCULATION 20, 28-30
  - capitaliste 31-32
  - communiste 30, 33. cf. *Distribution*

CIVILISATION 34, 35, 38, 39, 44, 91, 93, 101, 129-130, 163

CLASSES 6, 9, 12, 21, 99
  caractère de — 15, 22
  contradictions de — 19, 20, 22, 93
  - moyennes 27-28, 30. cf. *Abolition des —, Instinct de —, Luttes de —*

181

COLONIES COMMUNISTES   22, 33, 40-41, 42, 43, 60-78, 83, 86, 126
- et direction   70-71, 73, 76, 116
- et règlements   39, 62, 64, 65-66, 67-68, 70-71
- et sectes religieuses   61, 67, 71, 74
- et travailleurs   54, 56, 72-73, 77-78. cf. *Utopisme*

COMMUNAUTÉ   23, 30, 33, 36-37, 40, 57, 59, 73, 76, 86, 93, 94, 142, 143
- de biens   25, 40-42, 55, 62, 65, 68, 69-70, 71, 72-73, 76, 77-78
- des femmes   131
- et pionniers   65, 66, 68, 69

COMMUNISME   6, 17-18, 20-21, 30, 34-35, 36-37, 38, 42, 44, 45, 58, 60, 87, 88, 91, 92, 97, 104, 114, 120, 147, 150
- et administration   33, 34, 64-65
- et armées   36
- dégénéré   6, 10
- des capitalistes   44
- des casernes   40, 44
- et délits   34-35, 118, 124, 170
- et langues   124-126
- et nations   97, 100, 125, 132
- primitif et utopisme   15-17
- et races   125, 126
stades du —   7-9, 18-21, 106-107, 114-115, 118, 120-124, 132, 179. cf. *Socialisme*

CONCURRENCE   19, 27, 28, 30, 34, 38, 39, 44, 45, 47, 48-49, 51, 52, 99, 143, 155
- entre ouvriers   27, 38-39, 120

CRIMINALITÉ   34, 54, 56, 62, 124, 170
- et révolution   47, 177. cf. *Communisme et délits*

CRISES   5, 17, 19-20, 28, 29-30, 31, 35, 47, 49, 51, 52, 89, 93, 115, 146. cf. *Révolution, Violence*

DÉVALORISATION DU CAPITAL   29, 31. cf. *Crises, Gaspillage*

DIALECTIQUE   13, 16, 17, 126, 148, 153, 163-164, 171, 179

DICTATURE DU PROLÉTARIAT   21, 114, 117. cf. *Etat*

DISTRIBUTION   19, 22, 32, 53, 54, 91, 105, 123, 124, 141-142, 150, 152
mode de — capitaliste   19-20, 27-30, 34, 49-50, 90, 91, 92, 94, 99-100, 119, 120-124
- — — communiste   18, 21-22, 31, 33, 39-40, 90-91, 93, 94, 100, 111, 119, 122
- et révolution   103. cf. *Communisme, Organisation, Utopisme*

DIVISION DU TRAVAIL 9, 11, 18, 23, 32, 85, 86-89, 90-95, 125. cf. *Abolition de la —*

DROIT 96-101, 128, 130, 141, 143, 151, 152, 157, 166, 172-173
  - de l'homme 155, 171
  - et révolution 157-159. cf. *Utopisme, Organisation, Distribution*

ÉCOLOGIE 14-16, 20, 23-24, 61, 90-91, 92, 94-96, 104. cf. *Utopisme*

ÉCONOMIE (épargne) 33, 36, 37, 38, 40, 41, 63, 76, 118. cf. *Distribution*

ÉDUCATION 42-43, 54, 56, 63, 66, 67, 71, 72, 74, 76, 86, 131, 152, 168, 169, 173. cf. *Enseignement*
  - universelle 91. cf. *Homme, Enseignement*

ÉGALITARISME 17, 65, 135, 139, 148, 149-150, 151-152, 156, 158-159, 168. cf. **Utopisme, Droit**

ÉMANCIPATION 126, 128, 129, 140, 148. cf. *Fouriérisme, Abolition*

ENSEIGNEMENT 63, 67, 76, 125, 131, 173. cf. *Education*

ESPAGNE 91

ÉTAT 18, 20, 27, 36, 42, 60, 93, 97, 98, 99, 100, 101, 102, 104, 112, 116, 117, 121, 142, 143, 152, 153, 154, 157, 173
  abolition de l'— 18, 20, 142, 143, 144, 147, 175
  - et nation 99-100. cf. *Abolition*

FAMILLE 37-38, 40, 41, 60, 62, 64, 66, 98, 129-132
  abolition de la — 131
  critique de la — 23-24, 63, 67, 70, 76, 126, 129-130, 131-132
  - et critique du mariage 128-129, 132. cf. *Fouriérisme*

FILIATION ENTRE UTOPISTES 137-138
  - et anarchistes 116, 143, 151-152, 154, 156-157, 175-179
  - et matérialistes bourgeois 137-138, 142-143, 149, 153, 157, 158, 159-162, 164-166, 168-172, 174
  - et communistes plébéiens 137, 145-148, 172-175
  - et égalitaristes bourgeois 139, 142, 148, 149-150, 151, 153
  - et égalitaristes socialistes 139-140, 141-144, 145, 148-149, 156-158
  - et marxistes 138, 160-161, 166, 169-171. cf. *Communisme, Socialisme scientifique, Utopisme*

FISC 43-44, 93, 99, 177. cf. *Droit, Etat*

FOURIÉRISME 7, 8, 12-14, 17, 43, 54, 57, 81, 83, 86, 101, 104, 105, 106, 114, 117, 126-130, 137-138, 158, 170
  - et femme 126, 127, 128-129, 130-131

- et féodalisme industriel   106. cf. *Jeunesse, Utopisme*

FRANCE   8, 27, 42, 45, 51, 54, 58, 107, 118, 142, 145-146, 154, 176

GASPILLAGE   23-24, 29-30, 31, 32, 36, 37, 38, 39, 40, 53, 88, 89. cf. *Economie, Distribution, Improductifs, Utopisme*

GÉNÉRATIONS   100, 104, 115
   conflits des —   5-6. cf. *Jeunesse*

GRANDS TRAVAUX et utopistes   14-15, 40. cf. *Utopisme*

GUERRE   35, 36-37, 51, 145. cf. *Violence*

HOMME   140, 143, 173-175
   épanouissement de l'—   23, 33, 38, 39, 42-43, 55, 77, 87, 89, 91, 95, 127. cf. *Abolition, Art, Communisme, Distribution, Luxe, Utopisme*

IMAGINATION   6, 8, 10, 11, 13, 42, 53, 88, 103, 115, 118, 119, 120, 152, 153, 167, 171-172. cf. *Plans utopiques, Organisation, Utopisme*

IMPRODUCTIFS   28-29, 31-32, 33, 34, 35-36, 37, 38, 40, 41, 116-120. cf. *Economie, Intermédiaires, Organisation*

INSTINCT DE CLASSE   7-8, 10-12, 115, 172. cf. *Intuition, Prolétariat*

INSTRUCTION   43. cf. *Education*

INTERMÉDIAIRES   28-29, 31-32, 33, 34, 118-120, 153. cf. *Classe, Economie, Improductifs*

INTUITION   7, 9-12, 14-15, 17, 18, 108, 114, 115, 167, 172. cf. *Art, Imagination, Instinct, Science, Utopisme*

JEUNESSE   7, 87
   - et chômage   5-6
   - et enfance   5-7, 63, 110, 125, 127-128, 129, 131
   maladie de —   6
   - et perspective d'avenir   6, 91. cf. *Education, Famille, Fouriérisme, Homme*

LOIS   148, 154
   - naturelles   143. cf. *Droit, Plans utopiques*

LUTTES DE CLASSES 12, 14, 21, 27, 115, 157-158, 175. cf. *Crises, Etat, Révolution, Violence*

LUXE 7, 37, 83, 140
- pour tous 38, 62-63, 68. cf. *Distribution, Homme, Organisation*

MACHINISME 12, 19, 61, 85, 89, 97

MARXISME 9, 21
genèse du — 22-23. cf. *Communisme, Filiation, Révolution, Utopisme*

MATHÉMATIQUES 11, 53, 163, 165-166

MODE D'APPROPRIATION PRIVÉ 19-20, 30, 32
- et contradiction 20, 27-29. cf. *Organisation, Utopisme*

NATIONALISATION du sol 96-100. cf. *Abolition, Communisme, Phases*

ORGANISATION 59-60, 122
- militaire 115
- de la production 28-29, 30, 87-89, 127. cf. *Colonies, Distribution, Economie, Gaspillage, Utopisme*

OWÉNISME 7, 8, 13, 23-24, 40-43, 57, 66, 73, 81, 83, 86, 87, 117, 139-140, 141, 158, 171
- et œuvre syndicale 110-113, 123, 148. cf. *Utopisme*

PATRIE 24, 37, 60, 132, 154. cf. *Guerre*

PAUPÉRISATION 28-29, 45, 46, 56
- et utopisme 47-55, 113. cf. *Crises, Distribution, Economie, Organisation, Prolétariat*

PHASES HISTORIQUES 18-21, 22-24, 106-107, 114-115, 118, 120-124, 132, 179. cf. *Communisme, Distribution, Utopisme*

PHYSIOCRATIE 12, 116. cf. *Ecologie, Fouriérisme*

PHYSIQUE 11, 162, 165-166, 168, 169. cf. *Mathématiques*

PLANS UTOPIQUES 11, 13-14, 15, 18, 23-24, 40-43, 53, 81, 90, 114-116, 119, 142, 157, 166, 168, 172
- et Etat 142, 147, 160. cf. *Colonies, Utopisme*

PROLÉTARIAT 42-43, 45-46, 59, 117, 130, 144
- et auto-émancipation 112, 127

185

- et revendications   47, 49, 51-53, 89, 114-116, 117, 132, 147, 148, 178. cf. *Classes, Instinct, Révolution*

PROLÉTARISATION   27-28, 45, 46, 122, 127. cf. *Paupérisation*

PROPRIÉTÉ   96-100, 102, 121, 122, 130, 141-142

PROSTITUTION   39. cf. *Famille, Femme, Fourier, Homme*

PROUDHONISME   7, 43, 96, 107, 109, 114, 119, 135, 137-138, 144, 155, 156, 176, 177. cf. *Communisme, Filiation, Socialisme, Utopisme*

QUAKER   64, 68. cf. *Shaker*

RÉVOLUTION   15, 17, 43, 46-47, 50, 51, 53, 54, 82-83, 101, 115, 171
- bourgeoise   18-19, 53, 146-152, 179
- industrielle   117
- permanente   18, 51, 145-146
- prolétarienne   20-21, 52, 146
- et réforme   54, 173
- sociale   116. cf. *Communisme, Classes, Crises, Etat, Guerre, Socialisme utopique, Violence*

RUSSIE   8, 10

SAINT-SIMONISME   8, 13, 14-15, 17, 43, 104-108, 114, 116-120, 137-138, 158
- et crédit   105, 107-109, 116, 117-118, 119-120
- et production   114, 116-117, 118
- et sociétés par actions   104-105. cf. *Filiation, Intuition, Phases, Utopisme*

SCIENCE ET INTUITION   9-12, 17-18, 113-115. cf. *Instinct*

SHAKERS   61-62, 63-65, 71

SOCIALISME   17-18, 93, 111, 156
passage au —   20-21, 96-102, 104-106, 111. cf. *Communisme, Phases, Révolution, Utopisme*

SOCIALISME SCIENTIFIQUE ET PHILOSOPHIE BOURGEOISE   9, 15, 22, 137, 149, 153-154, 157-158, 159-175. cf. *Filiation*

SOCIALISME UTOPIQUE et matérialisme bourgeois   137-138, 142-143, 149, 153, 157-162, 164-166, 168-172, 174
- et révolution sociale   111, 115. cf. *Communisme, Filiation, Utopisme*

SOCIALISME UTOPIQUE et scientifique   6, 8, 9-10, 13, 16, 17, 18-22, 42, 50, 53, 55, 59, 60, 109-110, 114-116, 126, 138. cf. *Colonies,*

Communauté, Communisme, Filiation, Utopisme

SOCIALISME VRAI 7

SOCIAUX-DÉMOCRATES 6, 173

SOCIÉTÉ 27, 89, 99, 101, 118
- bourgeoise 155, 157
- et individu 30, 34-36, 42-43, 87. cf. *Abolition, Classes, Crises, Distribution, Economie, Etat, Socialisme, Utopisme*

TRAVAIL 62, 89, 93, 95, 97, 122
- attrayant 13-14, 61, 67-68, 87-88
- manuel 60, 87-88, 94-95
réduction du temps de — 37-39, 88. cf. *Abolition, Association, Division du travail, Education, Fouriérisme, Gaspillage, Homme*

UTOPISME 17-18, 137
- et abolition des différences de classe 13, 18
- et agriculture 12-13, 43, 115
- et anarchisme 114, 116
- et apolitisme 158
- et capitalisme 13, 117
- et classes 12
- et communisme primitif 15-17, 143-144
- et coopératives 111-113, 120, 122-123
- et crédit 105, 107-109, 116, 117-118, 119-121, 122-124
- et critique sociale 17, 103, 105, 126, 129, 139
- et écologie 14-16, 163
- et égalité 17, 65, 96, 135, 148, 149, 158-159
- et enfance 6-7, 127, 131
- et Etat 116, 142-144, 157-159
- et la femme 126, 127, 128-129, 173
- et formation du prolétariat 138-140, 144-145, 152
- et histoire 12-13, 115, 142, 155, 158
- et instinct de classe 7-8
- et intuition 8, 9, 17, 104-123, 127
- et sectarisme 109-110, 114, 115-116
- et sociétés par actions 20, 120-122. cf. *Saint-simonisme*
- et syndicalisme 111-113, 148. cf. *Abolition, Circulation, Classes, Colonies, Communauté, Communisme, Concurrence, Criminalité, Dialectique, Distribution, Ecologie, Education, Emancipation, Etat, Famille, Filiation, Fouriérisme, Gaspillage, Génération, Homme, Imagination, Jeunesse, Organisation, Owénisme, Plans utopiques, Proudhonisme, Révolution, Travail, Violence*

VILLE ET CAMPAGNE 18, 40-43. cf. *Abolition, Colonies*

VIOLENCE 16, 18, 21, 35-36, 37, 51, 52, 53, 54, 96-97, 112, 115, 175, 177
- et besoin 99-101
- et droit 96-101. cf. *Droit, Guerre, Utopisme*

WEITLING (système utopique de —) 59

Table

Préface 5

L'avenir dans le présent 5
Instinct de classe et marxisme 7
Intuition utopiste et socialisme scientifique 9
Intuition et science 9
Intérêt pratique de l'utopisme 12
Intuition utopiste et réalité bourgeoise 14
Communisme d'hier, d'aujourd'hui et de demain .. 15
Marxisme et utopisme 18
Plan de ce recueil 22

I. Communautés utopistes 25

Discours d'Elberfeld 27
Progression rapide du communisme en Allemagne . 55
Description de colonies communistes surgies ces
derniers temps et encore existantes 59

II. Société communiste des utopistes et des
    marxistes 79

Les communautés de l'avenir 81
Abolition de la différence entre ville et campagne 93
Terre et nature 96
Revendication des utopistes à la manière bourgeoise
ou marxiste 104
Suppression des barrières de races, de langues, de la
famille et des nations 124

III. Racines de l'utopisme 135

Plan d'étude combinant matérialistes bourgeois
communistes et utopistes 137
Projet de publication des utopistes 138
Bentham, Godwin et les premiers socialistes anglais 141

189

Eléments plébéiens qui expriment les revendications du prolétariat dans toutes les grandes révolutions antiféodales 145

Le socialisme des juristes 157

Rapport de l'utopisme avec la philosophie matérialiste et rationaliste (bourgeoise) 159

Communisme et abolition de l'Etat 175

INDEX DES IDÉES 181

Achevé d'imprimer en janvier 1976
sur les presses de l'imprimerie Laballery et Cie
58500 Clamecy
dépôt légal : 1er trimestre 1976
numéro d'imprimeur : 18168
premier tirage : 10 000 exemplaires
isbn 2-7071-0810-3